Daniela Niebisch

Sabine Hohmann

Hueber Sprachkurs Plus Deutsch

A GERMAN SELF-STUDY COURSE FOR BEGINNERS

Hueber Verlag

Translated and adapted
by Nicola Crossley

3. 2. 1. | Die letzten Ziffern
2021 20 19 18 17 | bezeichnen Zahl und Jahr des Druckes.
Alle Drucke dieser Auflage können, da unverändert, nebeneinander benutzt werden.
1. Auflage

Redaktion: Juliane Forßmann, Katharina Zurek, Hueber Verlag, München; Valerio Vial, München
Umschlaggestaltung: Sieveking · Agentur für Kommunikation, München
Illustrationen: Mascha Greune, München
Layout und Satz: Sieveking · Agentur für Kommunikation, München
Druck und Bindung: Firmengruppe APPL, aprinta druck GmbH, Wemding
Printed in Germany
ISBN 978-3-19-199475-4

Art. 530_23563_001_01

Einführung

Introduction

Dear learner,

Welcome! Or, as we say in Germany: **Herzlich willkommen**! We're delighted that you've chosen our **Sprachkurs Plus**. The course will provide you with an elementary knowledge of German in 16 units (level A2 of the Common European Framework) and will prepare you for face-to-face situations in every-day life and at work. You'll find all the important details about the **concept**, **structure** and **usage** of the course on the following pages.
The **Plus** in the title is part of the concept because we've designed the course in accordance with the latest neuro-didactic findings so as to make learning as easy as possible for you:

- Achievable **incremental activities** will keep you motivated and lead to successful learning. A self-study course naturally allows you to set the pace, rhythm and intensity of the learning process yourself, but do bear in mind that it makes more sense to have regular, short learning sessions than a full "study day" once a month.
- Every unit contains **specific every-day situations** based upon which we explain verbal structures and then practice and use them.
- What would you like to be able to do first? Write a scientific essay, read the newspaper or talk to people? Probably the latter, right? That's why the course lays particular emphasis on **listening and speaking**. You'll listen to every-day conversations, radio programmes, and announcements at stations or on trains, for example. Right from Unit 1 you'll practice typical face-to-face situations with the help of **practice dialogues** and **karaoke exercises**. That way you'll practice your **pronunciation and intonation** at the same time. Because how you say something is often more important than grammatical perfection.
- There's plenty of **German reading**, too. Every-day forms, train timetables, advertisements and short magazine articles will give you the opportunity to practice your reading comprehension using the sort of text you come across every day.

- It's particularly easy to remember things related to pre-existing knowledge or life experience! With the help of specially designed tasks you'll learn essential information and phrases in texts and dialogues and will be able to recognise grammatical regularities.
- **Vocabulary boxes** and **information boxes** explaining vocabulary and grammar will give you the necessary support just when you need it without you having to constantly leaf through the book in search of it.

You also have the following **digital features** to support your learning:

Augmented-reality app: to listen to the audio data on your smartphone or tablet.

Additional **online exercises** for every unit.

For more information and links to the above-mentioned features see:
www.hueber.de/sprachkurs-plus

So sind die Lektionen aufgebaut

How the units are structured

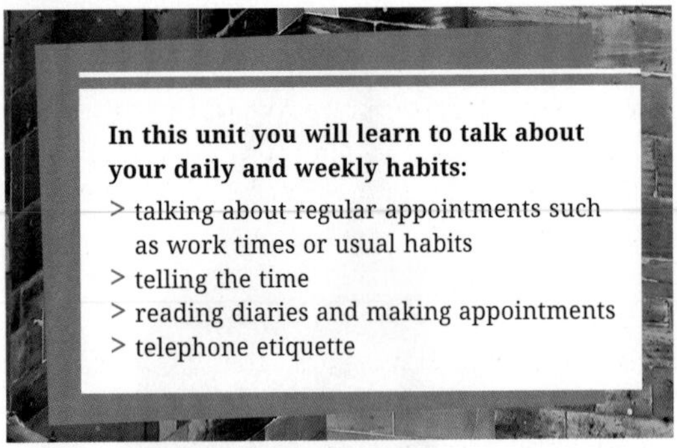
In this unit you will learn to talk about your daily and weekly habits:
> talking about regular appointments such as work times or usual habits
> telling the time
> reading diaries and making appointments
> telephone etiquette

- Every unit begins with a **presentation of the communicative aims.** Have a good look at them before you start the unit. The more aware you are of your aims in the learning process, the more easily you'll be able to achieve them.
- On the first pages of every unit you'll work on the communicative aims of the unit step by step with the help of varied exercises, texts and dialogues.
- In the section ***Im Beruf*** you'll put the subject of the unit into a business context.
- ***Wortschatz und Grammatik*** repeats the most important information in a compact way using charts, examples of use and exercises.
- At the end of each unit you'll find a supplementary page where you'll learn some funny and informative facts about the country and its people.

Within each unit you'll come across the following **graphic elements** which support the learning process:

▶ 1.01

This symbol identifies the recording. The first number refers to the unit and the second to the track. (You can also listen to the recordings by using the app. More information on this can be found at **www.hueber.de/sprachkurs-plus**).

WORDS

immer	*always*
manchmal	*sometimes*
oft	*often*
oder	*or*
nichts	*nothing*

Blue boxes help you by providing translations of the most important new words.

INFO

Unlike other European languages, capital letters are used for all nouns in German, not just for proper nouns and at the beginning of sentences.

Yellow boxes contain useful information about pronunciation, grammar, cultural peculiarities or learning tips.

After every fourth unit there is a **revision unit (*Wiederholung*)**, which will allow you to test and cement your progress. As an incentive, each revision unit is based on an instalment of a **mystery serial story**.

The course also contains two **practice tests** for levels A1 (after Unit 8) and A2 (after Unit 16).

There's also an additional booklet that comes with the course containing

- the **key to the exercises** and the **listening comprehension texts,**
- a **systematic grammar overview** in case you wish to look up a certain grammar point outside the specific context of the unit,
- an **alphabetical** German-English **vocabulary list,**
- a **chart of letters and sounds** to help you pronounce German letters more easily.

Listening
Listen to the recordings as often as possible, also without looking at the book, and repeat the units you've already done regularly. That way you'll reactivate and intensify what you've learnt and you'll get used to the sound of the foreign language more quickly. It will also aid your pronunciation.

Reading
Don't be disheartened if you don't understand a dialogue or text straightaway. The first reading is often just about finding the answer to a particular comprehension question. It's completely normal not to understand the text fully until after you've done the rest of the activities in the unit with the aid of translations.

Speaking
You'll practice particularly important speech patterns and phrases in karaoke exercises and practice dialogues. In these listening activities you'll simulate a conversation with a native speaker and prepare yourself for conversations outside the course. In karaoke exercises, you'll hear a question or statement. React by reading the replies out loud from the book. For each practice dialogue, an example in the book and on the recording will show you what you're expected to say. After speaking yourself, you'll always hear the right answer. Get used to speaking out loud, that way you can check your pronunciation better and compare it to the speaker's. Try to record what you say and compare it critically with what the native speaker says. Use the section ***Über mich*** (About myself) and read your answers out loud to practice speaking using personal information about every-day subjects (hobbies, work, family ...). That way you'll always have this often-used information at your fingertips for real face-to-face conversations, small talk etc.

Discovering
Take advantage of what you've learnt! In this language course we've laid particular emphasis on learning vocabulary through visual aids. So there are a lot of exercises where you have to match words and expressions to photographs. This will support the learning process and help you to remember the words more easily. And words or grammar rules that you work on yourself in the sections ***Wörter entdecken*** and ***Grammatik entdecken*** will remain in your mind much longer than information that you just have to read.

Deducing
Use your knowledge of other languages to deduce the meaning of unknown words in reading texts, for example. German contains a lot of internationalisms which can be easily recognised with a basic knowledge of English. Don't be afraid to mark words or information in colour in the book. Writing things down or summarising them in a chart of your own will also help you to fix new words and structures in your mind.

And now we wish you a lot of fun and every success learning German!

The authors and the publisher

Inhalt

Contents

1 Herzlich willkommen!

In this first unit you will learn to give some information about yourself:

> introducing yourself and others
> spelling your name
> reading and filling in a form
> saying what you do for a living

1 Über mich

a Where do you come from? Mark your country of origin on the map or look for its name in a dictionary.

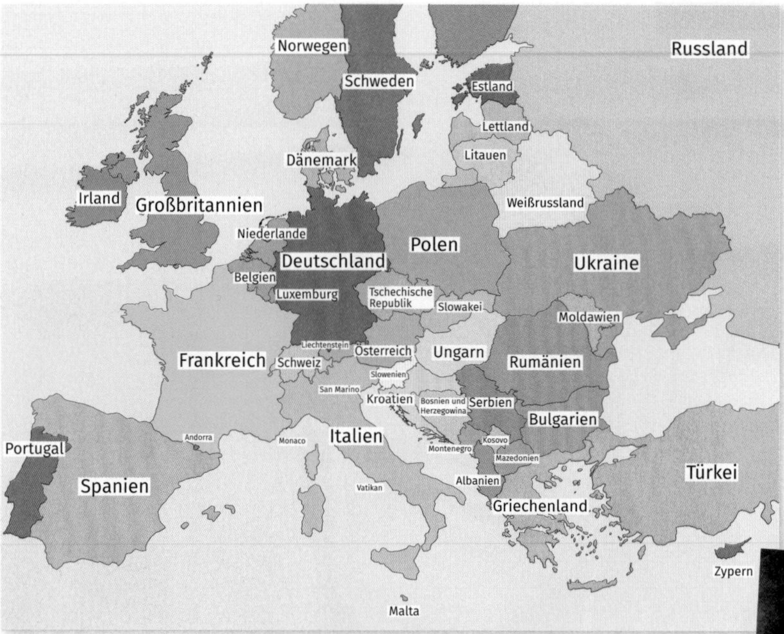

INFO

Did you know ...
Albert Einstein was born in Germany, in Ulm, to be precise. He became a Swiss citizen in 1901 and in 1940 an American citizen, too.

Hallo. Ich bin Albert Einstein. Ich komme aus Deutschland.
Ich komme auch aus der Schweiz und aus den USA. Und du?

b What's your name? Fill in the information about yourself.

- Hallo. Ich bin Albert. Und du?
- Ich bin Zoe.
- Ich komme aus den USA. Aus Princeton, New Jersey. Woher kommst du?
- Ich komme aus Kanada. Aus Calgary, Alberta.

INFO

Answer questions about your country of origin using **aus + name of the country.**
Some countries require an article. You have to learn these by heart. Examples:

aus Deutschland	**aus dem** Jemen	**aus der** Schweiz	**aus den** Niederlanden
aus Polen	**aus dem** Oman	**aus der** Ukraine	**aus den** USA

Answer questions about your city/town of origin or where you live using **aus + name of the city/town.**

2 Hören und Lesen

▶ 1.01 **Listen to two conversations and read along. Where do the people come from? Fill in the names of the countries. Use the map in exercise 1.**

WORDS	
Alles klar?	*Everything all right?*
Na klar.	*Sure.*
Nein.	*No.*

1 ■ Hallo, Alex. Wie geht es dir? Alles klar?
■ Na klar.
■ Das ist Daniel.
■ Hallo, Daniel. Ich bin Alex.
Woher kommst du?
■ Aus ________________. Und du?
Bist du aus ________________?
■ Nein. Ich komme aus der ________________.
Aus Luzern.

2 ■ Guten Tag, Herr Kaufmann.
Wie geht es Ihnen?
■ Gut, danke.
■ Das ist Frau Dr. Sikorska.
Sie kommt aus ________________.
■ Guten Tag.

3 Gut aussprechen: Satzmelodie

▶ 1.02 **Listen and repeat.**

Guten Tag. ↘	*Hello. / How do you do?*
Wie geht es dir? ↘	*How are you?*
Alles klar? ↗	*Everything all right?*
Na klar. ↘	*Sure.*
Ich bin Alex. ↘	*I'm Alex.*
Woher kommst du? ↘	*Where are you from?*
Bist du aus Deutschland? ↗	*Are you from Germany?*
Ich komme aus der Schweiz. ↘	*I'm from Switzerland.*
Wie geht es Ihnen? ↘	*How are you? (polite form)*
Gut, danke. ↘	*Fine, thank you.*
Das ist Herr Kaufmann. ↘	*This is Mr Kaufmann.*
Das ist Frau Sikorska. ↘	*This is Ms Sikorska.*
Sie kommt aus Polen. ↘	*She's from Poland.*

INFO

The voice goes down (↘) at the end of a statement, prompt or question with a question word. The voice goes up (↗) at the end of a yes/no question or question without a question word.

4 Sprechen: Karaoke

▶ 1.03 **Listen and react by reading the replies out loud.**

1 ■ ...
■ Hallo.
■ ...
■ Ich bin Anna.
■ ...
■ Aus Polen. Und du?
Bist du aus der Schweiz?
■ ...

2 ■ ...
■ Hallo, Lukas. Alles klar?
■ ...
■ Gut, danke.

5 Üben: Du oder Sie?

**What's the difference between an informal conversation and a formal situation?
What goes where? Put the expressions in the right place.**

Woher kommen Sie? | Guten Tag. | Hallo. | Woher kommst du? | Alles klar? | Wie geht es Ihnen? | Herr Kaufmann | Wie geht es dir? | Frau Dr. Sikorska | Bist du aus ...? | Alex | Sind Sie aus ...?

Informal: Hallo
Woher kommst du?
Alles klar?
Wie geht es dir?
Bist du aus...?
Alex

Formal: Woher kommen Sie?
Wie geht es Ihnen?
Guten Tag.
Herr Kaufman
Frau Dr. Sikorska
Sind Sie aus...?

INFO

In German there are two forms of address: the familiar **du** and the more formal **Sie**. Young people up to the age of about 30 often use the **du** form straightaway. The **du** form is also used in a lot of companies, at least among colleagues of a similar status. A rule of thumb is: the more formal the context, the more likely you are to need **Sie** (at the local authorities, at a jeweller's ...). The more informal the context is, the more likely you are to use the **du** form (at a student bar, in a trendy fashion shop, in the IT branch ...). The **du** form must be offered to you (**Wollen wir Du sagen? / Wir können gern Du sagen.**). In a private situation, the older person will offer the **du** form to the younger person. At work, the boss will offer it to his subordinates. By the way, you should always accept the offer of the **du** form!

6 Hören und Sprechen

▶ 1.04 **a Mr Gostić has booked a room. In what city? Fill in.**

In Berlin.

b Listen to the conversation again. What do the people say? Mark the right phrases with a cross.

1	A	☒ Guten Abend. Mein Name ist Mladen Gostić.	*Good evening. My name is Mladen Gostić.*
	B	☐ Guten Abend. Ich heiße Mladen Gostić.	*Good evening. My name is Mladen Gostić.*
2	A	☐ Entschuldigung, wie heißen Sie, bitte?	*Sorry, what's your name, please?*
	B	☒ Entschuldigung, wie ist Ihr Name, bitte?	*Sorry, what's your name, please?*
3	A	☐ Können Sie das bitte buchstabieren?	*Could you spell that, please?*
	B	☒ Wie schreibt man das?	*How do you spell that?*
4	A	☒ Herzlich willkommen in Berlin.	*Welcome to Berlin.*
	B	☐ Schön, Sie kennenzulernen.	*Nice to meet you.*
5	A	☐ Danke sehr.	*Thank you very much.*
	B	☒ Vielen Dank.	*Many thanks.*

▶ 1.05 **c Listen to the phrases in exercise b again and repeat.**

7 Sprechen

▶ 1.06 **Listen to the alphabet and repeat.**

A B C D E F G H I
J K L M N O P Q
R S T U V W X Y Z
Ä Ö Ü ß

INFO

The so-called umlauts **ä, ö, ü** and the letter **ß** are not part of the "official" German alphabet. This is actually very surprising, as there are far more words with **ä, ö, ü** and **ß** than with **y**, for example, which is only used in foreign words. If you don't have **ä, ö, ü, ß** on your keyboard, you can type **ae, oe, ue, ss** instead.

8 Sprechen

▶ 1.07 **Pretend to be a hotel guest and spell your name. You will then hear the right answer. Listen to an example first.**

1 Kreuzer **2** Schulz **3** Meyer **4** Böhm **5** Wolff **6** Vogel

- Mein Name ist Kreuzer.
- Wie schreibt man das?
- K R E U Z E R.

9 Sprechen

Now spell your first name and surname. Then spell your name again and again and again – faster and faster each time.

INFO

Your name may sound strange to a German, so you will often be asked to spell it. Practice spelling your name until you can do it fluently and fast.

10 Lesen und Hören

a **Mladen Gostić has filled in the hotel registration form. What does he say about himself? Read and fill in the speech bubble.**

ANMELDUNG

Anrede	☒ Herr ☐ Frau
Vorname	Mladen
Nachname	Gostić
Land	Kroatien
Wohnort:	
Straße/Hausnummer	Flussstr. 3
Postleitzahl	40479
Stadt	Düsseldorf
Telefon	0172-44486
E-Mail	mgostic@netz.de
Firma	Air Berlin

comes before city when writing out address

→ number after street name

Mein Name ist Mladen ~~Gostic~~ Gostić.
Ich komme aus Kroatien. Meine Adresse ist Flussstrasse 3, 40479 Düsseldorf.
Meine Telefonnummer ist 0172-44486.
Meine E-Mail-Adresse ist mgostic@netz.de.
Ich arbeite als Pilot bei Air Berlin.

▶ 1.08 b **Now listen to what Mladen Gostić says and compare it with your answers in exercise a.**

WORDS

mein/e	*my*
Ich arbeite als ... bei ...	*I work as a/an ... for ...*

INFO

This is how you say e-mail addresses:

mgostic@netz.de — M Gostić **at** netz **Punkt** d e

service@selbstlernkurs-deutsch.de — service **at** selbstlernkurs **minus** deutsch **Punkt** d e

service@deutsch_lernen.com — service **at** deutsch **Unterstrich** lernen **Punkt** com

11 Wörter entdecken: Zahlen

a What numbers does a German mean by the following gestures? Write the correct number.

A 3

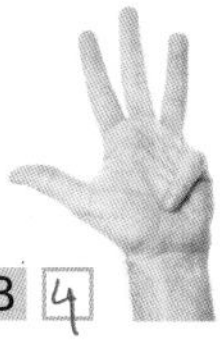
B 4

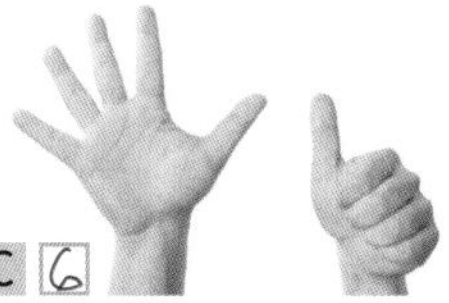
C 6

D 1

E 2

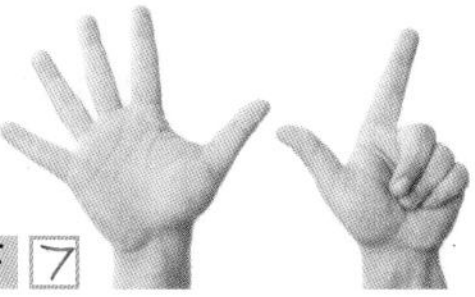
F 7

b Which German numeral matches which figure? Try to match the words and the figures.

acht null zwei vier fünf sechs drei sieben elf neun zehn eins zwölf

0 = null	5 = fünf	10 = zehn
1 = eins	6 = sechs	11 = elf
2 = zwei	7 = sieben	12 = zwölf
3 = drei	8 = acht	
4 = vier	9 = neun	

INFO

The letters **ie** are pronounced like a long **i** [iː]: **sie**ben. The letters **ei** are pronounced "ai" [a̯e]: **ei**ns, zw**ei**, dr**ei**. Don't confuse them!

▶ 1.09 **c Now listen to the numbers, compare them with your answers in exercise b and repeat them.**

12 Sprechen

▶ 1.10 **Read the telephone numbers out loud. Then listen and compare.**

1 0171 445837
2 030 92268133
3 0049 89 747215
4 0228 146909

13 Schreiben und Sprechen

Fill in the form with information about yourself and speak following the example in exercise 10. Look up any words you need in a dictionary.

ANMELDUNG

Anrede	☑ Herr ☐ Frau
Vorname	Zoe
Nachname	Bechtold
Land	Kanada
Wohnort:	
Straße/Hausnummer	229 Cougar Ridge Dr. SW
Postleitzahl	T3H 5L2
Stadt	Calgary
Telefon	403-451-5591
E-Mail	gnomie31415@gmail.com
Firma	Ich arbeite nicht. Ich bin eine Schulerin.

(town) where live/ contact info

Mein Name ist Zoe Bechtold.
Ich komme aus Kanada.
Meine Adresse ist 229 Cougar Ridge Dr SW,
Calgary T3H 5L2.
Meine Telefonnummer ist 403-451-5591 587 216 1740.
Meine E-Mail-Adresse ist gnomie31415@gmail.com.
Ich ~~arbeite als~~ bin Schulerin ~~bei~~ am Ernest Manning Gymnasium.
↳ high school

künstlerin - artist
Optiker → optritian
Berater → consultant
schauspieler – actor

14 Über mich

What's the German name for your profession? Fill in.

- Mein Name ist Albert Einstein. Ich bin von Beruf Physiker. Und was ist Ihr Beruf?
- Ich bin von Beruf Polizistin.

my job/career is

15 Wörter entdecken: Berufe

a What was your dream job as a child? Mark the right boxes with a cross.

☐ Feuerwehr-mann/-frau

☐ Koch/Köchin

☒ Polizist/-in

☐ Journalist/-in

☐ Lehrer/-in

☐ Arzt/Ärztin

☐ Pilot/-in

☒ anderes: wissenschaftlerin - scientist

▶ 1.11 **b Listen to the professions in exercise a and repeat.**

INFO

The feminine is generally formed by adding **-in** to the masculine form. Sometimes the vowel changes (**Arzt → Ärztin**). The feminine of **-mann** is **-frau.** It's easiest to just learn the different forms by heart.

16 Üben: Visitenkarte

Fill in the missing words in Albert Einstein's business card.

Vorname | Beruf | Land | Stadt | Nachname | Firma | Postleitzahl | Telefonnummer | E-Mail-Adresse | Straße | ~~Titel~~

Vorname — Nachname

Titel — PROFESSOR ALBERT EINSTEIN

Beruf — Professor in Theoretical Physics

Firma — YYY Institute, University P

Strasse — Einstein Street 34

Postleitzahl — 6789, Stadt — Relativity Town | Land — USA

Telefonnummer — 012-34560 | E-Mail-Adresse — einstein@xyz.edu

17 Wörter und Wendungen

Translate into German.

1 teacher (female) Lehrerin
2 post code postleitzahl
3 spell buchstabieren
4 and und
5 please bitte
6 phone number Telefonnumer
7 country Land
8 profession Beruf
9 thank you Danke
10 Good evening. Guten Abend
11 first name Vorname
12 My name is ... Mein Name ist...
13 company Firma
14 Everything all right? Alles klar?

18 Grammatik: Die Verben im Präsens (1)

	kommen	arbeiten	sein
ich *(I)*	komm**e**	arbeit**e**	**bin**
du *(you)*	komm**st**	arbeit**est**	**bist**
er/es/sie *(he/it/she)*	komm**t**	arbeit**et**	**ist**
wir *(we)*	komm**en**	arbeit**en**	**sind**
ihr *(you)*	komm**t**	arbeit**et**	**seid**
sie/Sie *(they/you polite form)*	komm**en**	arbeit**en**	**sind**

The present tense of regular German verbs is formed by taking the root (**komm-**) and adding an ending.
If the root of a verb ends with **-t** or **-d** as in **arbeiten**, the vowel **e** has to be added between the root and the endings **-st**, **-t**.
The verb **sein** is irregular. You have to memorize the different forms.
The polite form is **Sie** (**Woher kommen Sie?**).

19 Üben

What's the right verb form? Mark it.

1 Woher kommt/kommst ihr?
2 Das ist/sind Anna und Leo.
3 Anna und Leo kommt/kommen aus der Schweiz.
4 Anna arbeitet/arbeiten als Feuerwehrfrau, Leo sind/ist Koch von Beruf.
5 Wir arbeiten/arbeite in Italien.
6 Und ihr? Seid/Sind ihr aus Deutschland?
7 Sind/Ist Sie aus Polen?
8 Ich bin/bist aus Irland.

20 Grammatik: Die Stellung der Verben im Satz

a Compare the following sentences. In what position is the verb? Mark it.

1 Ich komme aus Deutschland.
2 Woher kommst du?
3 Ich bin von Beruf Ärztin.
4 Sie arbeitet als Journalistin.

The most important rule regarding word order is: the verb comes second.
The first place is taken by the subject (e.g. **ich**), a question word (e.g. **Woher**) or another part of the sentence (e.g. temporal adverbs, local adverbs ...).

b Mark the verb in the questions. How would you answer them? Mark with a cross whether a yes/no answer is enough or whether you need some information.

Question	Information	Yes/No answer
1 Bist du aus Deutschland?	☐	☒
2 Woher kommst du?	☒	☐
3 Arbeitet er als Arzt?	☐	☒
4 Sind Sie Polizistin?	☐	☒
5 Wie geht es dir?	☒	☐
6 Kommt ihr aus Irland?	☐	☒
7 Wie ist Ihr Name?	☒	☐

Yes/No questions start with the verb followed by the subject.

21 Üben

Put the words in the right order and write the sentences.

1 arbeite – Ich – als – Köchin
Ich arbeite als Köchin.

2 er – Woher – kommt
Woher kommt er? ↘

3 Arzt – als – Ich – arbeite
Ich arbeite als Arzt. (Ahrzt)

4 Wir – Lehrer – Beruf – von – sind
Wir sind von Beruf Lehrer (oder wir sind Lehrer von Beruf).

5 geht – Ihnen – es – Wie
Wie geht es Ihnen? ↘

6 Polizist – Er – ist
Er ist Polizist.

7 Spanien – aus – Sie – sind
Sie sind aus Spanien? ↗

1 From a distance ...

Guess: which photos show German people greeting each other?

A riding club in São Paulo, Brazil, was recently in the German headlines. People kept falling from the club's veranda – but it was only Central Europeans and North Americans, never Brazilians. What was going on?

The American social psychologist Paul Watzlawick provided the answer. "This is what happened every time: a Brazilian and a foreigner started talking. The Brazilian kept moving closer to get what for him was the right distance between him and his counterpart. The foreigner kept moving back to maintain what for him was the right distance. This went on and on until eventually, the foreigner fell over the railing." In Central Europe and North America, the intimate zone, which may only be entered by family and very good friends, is an arm-length; in South America, it's just 12 inches (30 cm). The riding club finally solved the problem with the help of a carpenter. The railing on the veranda is now so high that even the tallest Central European can't fall over it ...

Although you can drive Germans away by getting too close to them, they can be very hands-on in another way – literally!

As in many other European countries, the handshake is widely used when greeting others in Germany, Austria and Switzerland. However, a handshake is not just a handshake. A "German" handshake is short, firm and uses the whole hand. In other words: you mustn't offer just the tips of your fingers, nor must your hand be as limp as a dead fish! But you mustn't crush someone's hand either: it's enough to press the hand and at the same time move it slightly up and down two or three times.

The "air kiss" is becoming more and more popular, too, especially among women. You blow a kiss into the air just past a person's cheek. Unlike other countries, there's no rule as to whether the left or right side should be kissed first.

2 Wie spät ist es?

In this unit you will learn to talk about your daily and weekly habits:

> talking about regular appointments such as work times or usual habits
> telling the time
> reading diaries and making appointments
> telephone etiquette

2 Ich arbeite von Montag bis Freitag.

1 Wörter entdecken: Wochentage

a Which day of the week goes with which English word? Try and match the German words to the English weekdays.

Dienstag Sonntag Freitag Montag ~~Mittwoch~~ Donnerstag Samstag

Mai

1	2	3	4	5	6	7
Montag	Dienstag	Mittwoch	Donnerstag	Freitag	Samstag	Sonntag
Monday	Tuesday	Wednesday	Thursday	Friday	Saturday	Sunday

▶ 2.01 **b Listen and repeat. Notice the highlighted vowels. What's right? Mark with a cross.**

1 Montag – Dienstag – Freitag
Die Vokale sind ☐ kurz *(short).* ☑ lang *(long).*

2 Mittwoch – Donnerstag – Samstag – Sonntag
Die Vokale sind ☑ kurz *(short).* ☐ lang *(long).*

INFO
Stressed vowels can be long or short. Pay careful attention to their pronunciation.

2 Hören

▶ 2.02 **a What are Nikos' daily habits? Listen and mark with a cross.**

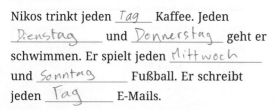

A

☒ Kaffee trinken

B

☐ essen

C

☒ schwimmen

D

☒ Fußball spielen

E

☒ E-Mails schreiben

F

☐ spazieren gehen

b Listen again and fill in the gaps.

Nikos trinkt jeden _Tag_ Kaffee. Jeden _Dienstag_ und _Donnerstag_ geht er schwimmen. Er spielt jeden _Mittwoch_ und _Sonntag_ Fußball. Er schreibt jeden _Tag_ E-Mails.

WORDS

jeden Tag	*every day*
jeden Montag, Dienstag ...	*every Monday, Tuesday ...*

3 Lesen

a When does Thomas Mann do what? Read his diary and fill in.

INFO

Did you know ...
Thomas Mann (1875–1955) is considered to be the best German author of the 20th century but is also one of the most controversial. His work is said to be uncreative and "just" the result of daily, disciplined writing.

Uhrzeit	Montag	Dienstag	Mittwoch	Donnerstag	Freitag
9:00–12:00	schreiben				
12:00–13:00	essen / spazieren gehen				
13:00–15:00	Informationen suchen 				
15:00	Tee trinken				
16:00–19:00	Briefe schreiben 				
19:00–20:00	essen				
20:00–23:00	lesen 				
23:00	ins Bett gehen 				

Mein Name ist Thomas Mann. Ich bin von Beruf Autor. Ich arbeite von Montag bis Freitag. Ich schreibe jeden (every) Vormittag von __9__ bis __12__ Uhr. Jeden Mittag gehe ich spazieren. Ich arbeite weiter von __13__ Uhr bis __15__ Uhr. Um __3/15__ Uhr trinke ich Tee. Ich esse jeden Abend um __19__ Uhr. Um __23__ Uhr gehe ich ins Bett.

INFO

Wann? *(When?)*
am + weekday/time of the day
(**am Montag**, **am Morgen**, but: **in der Nacht**)
um + time (**um vier Uhr**)

Wie lange? *(How long?)*
von + weekday/time **bis** + weekday/time
(Thomas Mann schreibt **von** Montag **bis** Freitag **von** 9 (Uhr) **bis** 12 (Uhr).)

Morgen	Vormittag	Mittag	Nachmittag	Abend	Nacht
ca. 5:00 Uhr	9:00 Uhr	11:30 Uhr	13:30 Uhr	17:00 Uhr	22:00 Uhr

ca. 5:00 Uhr

▶ 2.03 **b Now listen to what Thomas Mann says.**

4 Wörter entdecken: Die Uhrzeit

▶ 2.04 **Listen and match.**

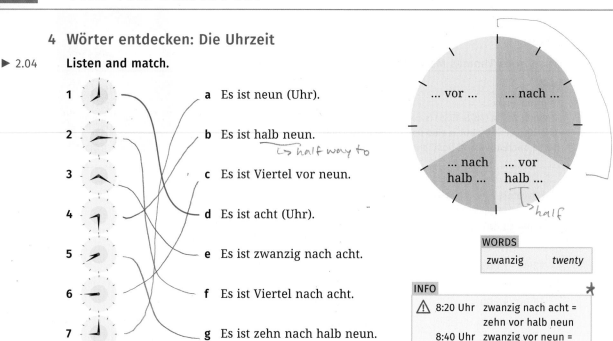

- a Es ist neun (Uhr).
- b Es ist halb neun.
- c Es ist Viertel vor neun.
- d Es ist acht (Uhr).
- e Es ist zwanzig nach acht.
- f Es ist Viertel nach acht.
- g Es ist zehn nach halb neun.

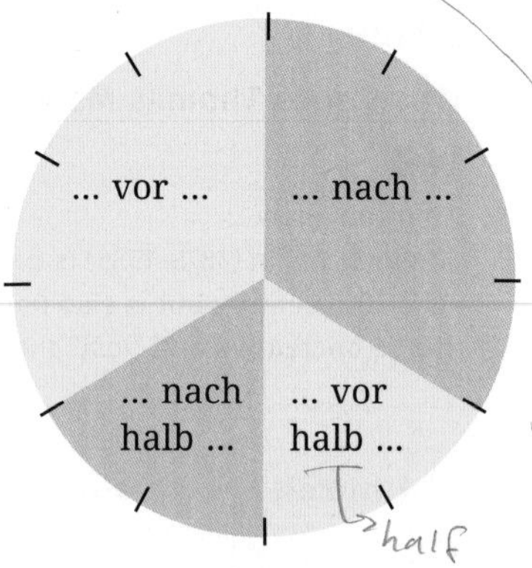

WORDS

zwanzig	*twenty*

INFO

⚠ 8:20 Uhr	zwanzig nach acht = zehn vor halb neun
8:40 Uhr	zwanzig vor neun = zehn nach halb neun

5 Sprechen

▶ 2.05 **Someone asks you the time. Reply. You will then hear the right answer. Listen to an example first.**

1 7:35 2 10:00 3 9:15 4 6:40 5 2:10 6 17:00
7 13:30 8 20:50 9 1:00 10 13:15

- Entschuldigung, wie spät ist es?
- Moment ... Es ist fünf nach halb acht.

WORDS

Wie spät ist es? Wie viel Uhr ist es?	*What time is it?*

INFO

Only times from 1 to 12 are used in everyday conversations. So: **Es ist fünf Uhr (17 Uhr).** is also used in the afternoon and in the evening. If you want to make it clear that you mean a time after 12 midday, you can add **nachmittags** or **abends**: **Es ist fünf Uhr nachmittags. / Es ist acht Uhr abends.**
Please note: **1:00 Uhr → Es ist eins. / Es ist ein Uhr.**

6 Über mich

What time is it in Germany and in your country at the moment? Look at the clock and fill in the words.

In Deutschland ist es 20:47 ~~zwei nach~~ 13 vor neun.
Ich komme aus Kanada. Dort ist es jetzt (auch) 12 vor zwei.

7 Gut aussprechen: Wortakzent

▶ 2.06 **a Listen and mark the stressed syllables.**

arbeiten – Adresse – Viertel – Moment – Nachmittag – Donnerstag – willkommen – essen – trinken – Beruf

INFO

Every word containing several syllables has a stressed syllable. However, in German there's no fixed rule as to which one it is. So, when you learn a new word, make sure you learn where it's stressed!

b Match the words in exercise a to the right syllable pattern. The circles show syllables: the big circle represents a stressed syllable, the small circles show unstressed syllables.

Oo : ~~Moment~~ essen trinken Vieltel
oO : ~~Viertel~~ Beruf Moment
Ooo : arbeiten Nachmittag Donnerstag
oOo : Adresse willkommen

8 Richtig schreiben: Wort- und Silbengrenzen

How many sentences can you find in the word search? Mark them and write them down on a piece of paper.

icharbeitevonmontagbisfreitagjedenmorgentrinkeichkaffee
ammittagesseichumzwölfumvieruhrtrinkeichteejedenabend
geheichspazierenichgeheumzehninsbett.

INFO

Unlike other European languages, capital letters are used for all nouns in German, not just for proper nouns and at the beginning of sentences.

9 Über mich

a What's true for you? Mark with a cross or fill in.

ALLTAGSGEWOHNHEITEN

arbeiten/studieren
- ☐ von 8 bis 17 Uhr ☑ von 9 bis 18 Uhr
- ☐ von 5 bis 7 Uhr
- ☑ zu unterschiedlichen Zeiten

~~Kaffee~~ Tee trinken (ich trinke Tee)
- ☐ am Morgen ☑ am Nachmittag
- ☐ jeden Morgen und jeden Nachmittag
- ☑ zu unterschiedlichen Zeiten

warm essen (ich esse warm) — warm + bigger meal
- ☐ jeden Morgen ☐ jeden Mittag
- ☑ jeden Abend ☐ jeden Mittag und Abend

ins Bett gehen
- ☐ um zehn (Uhr) ☑ um elf (Uhr)
- ☐ um zwölf (Uhr) ☐ um ____ (Uhr)

WORDS

studieren	*to study*
zu unterschiedlichen Zeiten	*at different times*
warm essen	*to have a hot meal*

▶ 2.07 **b Listen to the questions and answer with your personal information from exercise a.**

Ich möchte einen Termin vereinbaren.

10 Lesen

What's right *(richtig)*, what's wrong *(falsch)*? Read and mark with crosses.

THEATERPROGRAMM APRIL
Die Physiker – Theaterstück von Friedrich Dürrenmatt
Dienstag bis Donnerstag 19:00 Uhr
Freitag/Samstag 20:00 Uhr
Sonntag 18:00 Uhr
Dauer: 3 Stunden 15 Minuten, inkl. Pause
Deutsche Post – Filiale Kirchdorf
Öffnungszeiten:
Montag bis Freitag
8:00–17:30 Uhr
Samstag
8:00–12:30 Uhr
FRISEURSALON HAIRCUT
Ihr Haarspezialist in Kirchdorf
Öffnungszeiten:
Montag geschlossen
Dienstag bis Freitag
9:00 – 18:00 Uhr
Samstag
9:00 – 14:00 Uhr
Vereinbaren Sie einen Termin unter 0172-234654.

INFO

- **ein/der** Friseur — *a/the hairdresser*
- **ein/das** Theaterstück — *a/the play*
- **eine/die** Post — *a/the post office*

	richtig	falsch
1 Im April kommt ein Theaterstück von Friedrich Dürrenmatt.	☒	☐
2 Am Mittwoch beginnt das Theaterstück um 19:00 Uhr.	☒	☐
3 In Kirchdorf sind ein Friseur und eine Post.	☒	☐
4 Der Friseur ist von Montag bis Samstag geöffnet.	☐	☒
5 Die Post ist am Samstag geschlossen.	☐	☒

WORDS

von	*by*
die Öffnungszeiten	*opening times*
geschlossen	*closed*
geöffnet	*open*

11 Sprechen

▶ 2.08 **Listen and repeat the numbers.**

13 dreizehn	**22** zweiundzwanzig	**31** einunddreißig
14 vierzehn	**23** dreiundzwanzig	…
15 fünfzehn	**24** vierundzwanzig	**40** vierzig
16 sechzehn	**25** fünfundzwanzig	**50** fünfzig
17 siebzehn	**26** sechsundzwanzig	**60** sechzig
18 achtzehn	**27** siebenundzwanzig	**70** siebzig
19 neunzehn	**28** achtundzwanzig	**80** achtzig
20 zwanzig	**29** neunundzwanzig	**90** neunzig
21 einundzwanzig	**30** dreißig	**100** hundert

INFO

35 → fünfunddreißig

12 Üben: Zahlen

▶ 2.09 **a Which number do you hear? Mark with a cross.**

1	[ ] 13	[x] 30	4	[x] 15	[ ] 50
2	[x] 67	[ ] 76	5	[ ] 18	[x] 80
3	[ ] 17	[x] 77	6	[x] 14	[ ] 44

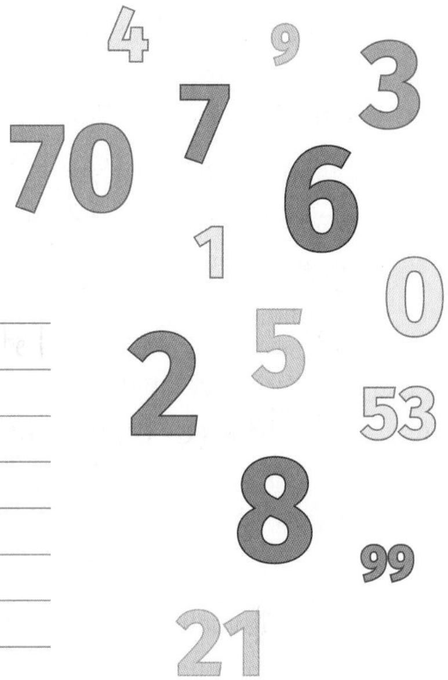

b Write the numbers in words.

1 25 fünfundzwanzig
2 32 zwei unddreißig
3 89 neunundachtzig
4 44 vierundvierzig
5 57 sebenund fünfzig
6 99 neunund neunzig
7 18 achtzehn
8 63 dreiundsechzig

c What number comes next? Complete the series.

1 fünf – zehn – fünfzehn – zwanzig – fünfundzwanzig
2 neun – neunzehn – neunundzwanzig – neununddreißig – neunundvierzig
3 zehn – zwanzig – dreißig – vierzig – fünfzig
4 zwölf – vierzehn – sechzehn – achtzehn – zwanzig
5 einundachtzig – vierundachtzig – siebenundachtzig – neunzig – dreiundneunzig

13 Hören

▶ 2.10 **Listen as many times as necessary and fill in the missing information.**

1 Der ICE 209 fährt um 20:13 Uhr.
2 Der EC 91 kommt 20 Minuten später.
3 Der IC 5891 fährt um 16:48 Uhr.
4 Der ICE 540 um 21:07 Uhr fährt heute nicht. Ihr nächster Zug fährt um 21:45 Uhr.

INFO

You make a sentence negative with the word **nicht** (*not*).

INFO

Giving the exact time is important on the radio, on television, at the theatre, at the station and at the airport as well as at "official" appointments such as the doctor's or the hairdresser's. The time is told like this:
20:13 Uhr **zwanzig Uhr dreizehn**

WORDS

fahren, fährt	*to run (travel)*
später	*later*
heute	*today*
• Zug	*train*
Ihr nächster Zug	*your next train*

14 Hören und Sprechen

► 2.11 **a Claudia Müller is making an appointment at the hairdresser's. When is the appointment? Fill in.**

Claudia Müller hat am Freitag um 10 Uhr einen Termin beim Friseur.

INFO

The little word **denn** shows friendly interest in questions and makes the question sound more polite: **Wann haben Sie denn Zeit?**

↳ more polite, open to suggestions

► 2.12 **b Listen and repeat.**

Guten Tag. ↘ Mein Name ist Claudia Müller. ↘	*Good day. My name's Claudia Müller.*
Am Mittwoch um 17:00 Uhr. ↘	*On Wednesday at 5 p.m.*
Ist das möglich? ↗	*Is that possible?*
Freitag um 10:00 Uhr? ↗ Ja →, das geht. ↘	*Friday at 10 o'clock? Yes, that's fine.*
Ich möchte bitte einen Termin vereinbaren. ↘	*I'd like to make an appointment.*
Tut mir leid →, da geht es nicht. ↘	*Sorry, that doesn't work.*
Gern. ↘ Wann haben Sie denn Zeit? ↘	*With pleasure. When would it suit you then?*
Auf Wiederhören. ↘	*Good bye. (on the phone)*
Passt es vielleicht am Freitag? ↗ (maybe)	*Would Friday work?*
Um 10:00 Uhr? ↗	*At 10 o'clock?*
Wunderbar →, dann bis Freitag. ↘	*Wonderful, see you on Friday then.*
Friseursalon Haircut →, guten Tag. ↘	*Haircut Salon, good day.*

c Put the sentences in b in the right order and write a dialogue.

Friseursalon Haircut, guten Tag.
Guten Tag. Mein Name ist Claudia Müller.
Ich möchte bitte einen Termin vereinbaren
Gern. Wann haben sie denn Zeit?
Am Mittwoch um 17 Uhr. Ist das möglich?
Tut mir leid, da geht es nicht.
Passt es vielleicht am Freitag?
Um 10:00 Uhr?
Freitag um 10:00 Uhr? Ja, das geht.
Wunderbar, dann bis Freitag.
Auf Wiederhören,

Kalender – Müller, Thomas **8.–12. Februar**

	8 Montag	9 Dienstag	10 Mittwoch	11 Donnerstag	12 Freitag
08:00	**Besprechung vorbereiten**	**Dienstreise Berlin** Tidaflex	**Telefontermin** Mia Lehmann	Mirabell & Co.	**Zugfahrt nach Wien** 08:10 Uhr **Konferenz** Wien Renewable Energy
09:00	Projekt Sunshine				
10:00	**Besprechung**		**Team-besprechung**	**Telefonkonferenz** Projekt ReadyBroom	
11:00	Projekt Sunshine				
12:00	Mittagspause		Mittagspause	Mittagspause	
13:00	Mirabell & Co.		Mirabell & Co.	**Telefontermin** Anna Leierseder	
14:00			**Präsentation** Clean Drive	**Besprechung mit Chef** Projekt ReadyBroom Raum 321A	
15:00	**Präsentation vorbereiten**				
16:00	Projekt Clean Drive				
17:00					
18:00					

prepare a presentation

WORDS

• (Team-)Besprechung	*(team) meeting*
vorbereiten	*to prepare*
• Mittagspause	*lunch break*
• Dienstreise	*business trip*

WORDS

• Chef	*boss*
nach (Wien)	*to (Vienna)*
dauern	*to take (time)*

Ich bereite eine Präsentation Projekt Clean Drive vor.

15 Lesen

Look at Thomas Müller's diary and answer the questions.

1 Um wie viel Uhr telefoniert Thomas Müller mit Mia Lehmann? Um 8:00 Uhr.

2 Von wann bis wann dauert die Telefonkonferenz zum Projekt ReadyBroom? Um 10 bis 12 Uhr.

3 Wann ist die Dienstreise nach Wien? Am Freitag um 8 Uhr 10.

4 Wann ist die Besprechung zum Projekt Sunshine (Tag/Uhrzeit)? Am Montag um 10 Uhr.

16 Hören

▶ 2.13 **a** **The company Mirabell & Co. wants to make an appointment with Mr Müller. When does he have time? Mark three suggestions in his diary.**

b **When does he agree to a meeting with Mirabell & Co.?**

Am Montag von 13:00 bis 15:00 Uhr.

INFO

In Germany, the callee answers the phone by giving their name and the caller then gives their own (**Müller / Thomas Müller**). In business, the company name and a few words of greeting are added (**Guten Tag. / Guten Tag, was kann ich für Sie tun?**). Never answer the phone by saying **Hallo** in business, it's considered very rude!

Private call:
- Müller.
- Hallo, hier ist Nikos.

Business:
- ÖkoWild, Müller, guten Tag! (Was kann ich für Sie tun?)

Initial contact:
- Guten Tag, mein Name ist Lea Köster von der Firma Mirabell & Co.

When you know each other:
- Guten Tag, hier ist Lea Köster.

17 Wörter und Wendungen

a Translate into German.

1 the train	________	**2** every day	________
3 What time is it?	________	**4** to drink	________
5 the day	________	**6** to go for a walk	________
7 today	________	**8** the bed	________

b What interrogative pronouns (question words) have you learned so far? Translate them into German.

1 When? ________ ? **2** What? ________ ?

3 How long? ________ ? **4** Where (from)? ________ ?

18 Grammatik: Die Verben im Präsens (2)

	Verbs with a vowel change			Irregular verb
	fahren	**essen**	**lesen**	**haben**
ich	fahre	esse	lese	habe
du	fä**hrst**	**isst**	l**iest**	**hast**
er/es/sie	**fährt**	**isst**	l**iest**	**hat**
wir	fahren	essen	lesen	haben
ihr	fahrt	esst	lest	habt
sie/Sie	fahren	essen	lesen	haben

Verbs with a vowel change make a change in the root of the verb: **a/au** becomes **ä/äu** and **e** becomes **i** or **ie**. In the *present tense* the vowel change affects the *2nd and 3rd person singular*. You need to learn the verbs and their different vowel changes by heart. You'll find a list of irregular verbs in the Companion.

Unlike English, there is no progressive form of the verb in German. The progression is only shown in the context.

Ich **gehe** (jetzt) ins Bett.	*I am going to bed (now).*
Ich **gehe** (jeden Tag um 22:30) ins Bett.	*I go to bed (at 10.30 p.m. every day).*

19 Üben

What's the right verb form? Fill in.

1 Ich ________ (fahren) nach Berlin.
2 ________ (fahren) du um halb neun nach Wien?
3 Anna ________ (essen) jeden Abend um 19:00 Uhr.
4 Herr Meier ________ (lesen) Briefe.
5 Wir ________ (haben) um 15:00 Uhr einen Termin.
6 Wann ________ (gehen) ihr ins Bett?

20 Grammatik: Die Artikel

Every noun has an article. In German, there are three forms: masculine (• **ein/der**), neutral (• **ein/das**), feminine (• **eine/die**). This course indicates the articles of nouns with a coloured dot so you always have a quick overview of the right article. The indefinite article (**ein, ein, eine**) introduces a person or thing (**In Kirchdorf sind ein Friseur und eine Post.**), defines something (***Die Physiker?* Das ist ein Theaterstück.**) or shows an amount (**Das ist ein** (*not two or three!*) **Zug.**) The definite article is used if the person or thing is known or has already been mentioned (**Der Zug fährt heute nicht.**).

play

21 Grammatik: Die Wortstellung

In German, you can move the clauses of a sentence around fairly freely depending on what information you want to emphasise. There are, however, a few rules:

> The conjugated verb is *always* in second position (see Unit 1).

> If the subject is not in first position, it moves *behind* the verb:
Ich habe jeden Montag Fußballtraining. → Jeden Montag **habe ich** Fußballtraining.

> Time before place: Er fährt **am Freitag nach Wien.**

time place

22 Grammatik: Negation mit *nicht*

The word **nicht** can be used to make whole sentences as well as single words negative. If used to make a sentence negative, the word **nicht** goes at the end of the sentence (**Ich lese heute nicht.** = *I won't be reading today.*). If **nicht** is used to make a word or single piece of information negative, it goes immediately before the relevant word(s) (**Ich lese nicht am Morgen.** = *But I do read in the afternoon or in the evening!*).
Also, **nicht** goes before words of place (**Ich gehe nicht ins Bett.**) and before expressions that are closely connected to the verb (**Fußball spielen: Ich spiele heute nicht Fußball.**).

23 Üben

Write full sentences. Use words from each line.

Ich | Am Mittwoch | Du | Heute habe | Heute ist | Wir
die Post | fährt | arbeitest | ich | habe | essen
jeden Tag | er | um zehn | von 18 bis 20 Uhr | nicht | heute nicht
eine Besprechung | nach Wien | bis neun Uhr | Fußballtraining | um halb sieben | geöffnet

1 Ich habe um zehn eine Besprechung.
2 Am Mittwoch fährt er nach Wien.
3 Du arbeitest heute nicht bis neun Uhr.
4 Huete habe ich nicht Fussball training.
5 Heute ist die Post von 18 bis 20 Uhr geöffnet.
6 Wie essen jeden Tag um halb sieben.

2 Meet the Müllers

What do these men have in common? What do you think?

Who is 44 years old, 5 feet, nine inches (1.79m) tall, overweight, doesn't believe in UFOs but does believe in family and friendship, thinks Valentine's Day is a waste of time but still gives his wife a dozen roses a year? His name is Thomas Müller – yes, according to statistics, that's what most men in Germany are called, like the men in the photos. Thomas Müller is your average German man. He's married to Claudia Müller (41), who is 5 feet, four inches (1.65m) tall, buys about 279 pairs of shoes in her lifetime and does in fact take four minutes less than her husband in the bathroom in the mornings.

Use of water and electricity goes up exponentially in the whole of Germany at 6.15 a.m. because that's when the Müllers and their 1.3 children get up. Thomas and Claudia Müller leave for work at 7.20 at the latest, following breakfast, which includes at least one cup of a total of 264 pints (150 litres) of coffee per year. Thomas and Claudia Müller work from 8 to 5 and, yes, they love their jobs. That's where they met, too, like 30% of all German couples. The best time to start an office romance is definitely during the coffee break at 10.40, which provides a harmless opportunity to chat to colleagues. The lunch break at 12.30 is less suitable because that's when Claudia Müller in particular turns to a packed lunch from home to get away from horrible canteen food.

If Claudia and Thomas Müller had one wish, they'd choose to set their own pace of life. And they want to enjoy life. They spend their average three hours of free time per day on the phone, reading (her), on the computer (him) and doing sports. They also spend a lot of time on DIY and gardening. The Müllers would like to have more time to sleep and laze around and also to spend with their friends and family. Their day comes to an end at 11 p.m.

Yes, that's Thomas Müller – could you guess that from the photos?

3 Guten Appetit!

In this unit you will learn to talk about food and drinks:

> saying what something tastes like

> expressing likes and dislikes in food and drink

> understanding amounts

3 Ich esse wirklich gern Obst.

1 Hören

▶ 3.01 **a When does the Krüger family have a meal? Listen and mark with crosses.**

1 das Frühstück
- [ ] um 7:00 Uhr
- [x] um 7:30 Uhr
- [ ] um 8:00 Uhr

2 das Mittagessen
- [ ] um 12:00 Uhr
- [ ] um 13:00 Uhr
- [x] zwischen 12:00 und 12:30 Uhr

biggest/ warm meal

3 das Abendessen
- [x] zwischen 18:00 und 19:00 Uhr
- [ ] um 19:00 Uhr
- [ ] nach 19:00 Uhr

bread + cheese

WORDS	
• Frühstück	*breakfast*
• Mittagessen	*lunch*
zwischen	*between*
• Abendessen	*dinner/supper*
nach	*after*

b And what does the Krüger family have to eat on a typical day? Listen again and mark with crosses.

A [x] • das Müsli

B [x] • das Obst

C [ ] • der Reis

D [ ] • die Nudeln

E [x] • das Fleisch

F [x] • der Fisch

G [x] • das Gemüse

H [ ] • die Kartoffeln

I [x] • das Brot

J [x] • die Butter

K [x] • die Wurst

L [x] • der Käse

sausage + cold cut meat

c Listen again and fill in the gaps with the right food.

Wir frühstücken um halb acht. Am Morgen essen wir immer Müsli, manchmal Obst. Das Mittagessen ist zwischen zwölf und halb eins. Am Mittag essen wir warm. Oft essen wir Fleisch oder Fisch mit Gemüse. Zwischen achtzehn Uhr und neunzehn Uhr ist Abendessen. Wir essen Brot, Butter, Wurst und Kase. Nach neunzehn Uhr essen wir nichts.

WORDS

immer	*always*
manchmal	*sometimes*
oft	*often*
oder	*or*
nichts	*nothing*

2 Hören und Lesen

▶ 3.02 **a Listen to a conversation between two people at a breakfast buffet and read along. What's nice? What isn't so nice? Make notes.**

■ Hm, das Brot schmeckt gut. Und der Kuchen auch.	*Mmm, the bread's nice. So is the cake.*
■ Ja, aber das Obst ist nicht gut. Ich esse wirklich gern Obst. Aber die Äpfel sind nicht frisch. Und die Bananen auch nicht.	*Yes, but the fruit's no good. I really like fruit. But the apples aren't fresh. The bananas ~~either~~ neither.*
■ Hier ist eine Birne. Die Birnen sind sehr gut.	*Here's a pear. The pears are very nice.*
■ Nein, danke. Ich esse lieber noch ein Ei. Ich liebe Eier!	*No, thanks. I'd rather have another egg. I love eggs!*
■ Ich auch. Die Eier hier sind wirklich lecker.	*So do I. The eggs are really delicious here.*

Das schmeckt (gut) ☺: das Brot der Kuchen die Birnen das Ei

Das schmeckt nicht ☹: das Obst die Äpfel die Bananen

▶ 3.03 **b Listen again and repeat.**

INFO

When you talk about unspecific amounts (= you don't say how much of something), you don't need an article:
Oft essen wir Fisch mit Gemüse.
Ich trinke gern Kaffee.
Ich liebe Eier.

'gern' after verb means I like to do ___ verb

3 Grammatik entdecken: Eins, zwei, drei … viele

Fill in the missing forms. You can find them in exercise 1b and in exercise 2.

	Einzahl *(singular)*	Mehrzahl *(plural)*		Einzahl *(singular)*	Mehrzahl *(plural)*
1	die Nudel	die Nudeln	5	der Apfel	die Äpfel
2	die Kartoffel	die Kartoffeln	6	die Banane	die Bananen
3	das Brot	die Brote	7	die Birne	die Birnen
4	der Kuchen	die Kuchen	8	das Ei	die Eier

INFO
Learn the plural of each noun.

4 Gut aussprechen und richtig schreiben: *ä*

▶ 3.04 **a Listen and fill in *a*, *ä* or *e*.**

1 E ssen Sie g e rn K ä se?
2 Die Ä pfel schm e cken wirklich gut.
3 Ich trinke oft A pfels a ft.
4 Die S ä fte hier sind l e cker.
5 Ich trinke viel W a sser, jeden T a g s e chs Gl ä ser.

• ein Glas • Apfelsaft

• ein Glas • Wasser

INFO
The Umlaut **ä** is pronounced like an open **e** [ɛ]. You have to learn the spelling of a lot of words containing **ä** by heart, like, for example, **Käse**. However, words containing **ä** are often just another form of a word containing **a (der Apfel – die Äpfel, fahren – er/sie fährt)**. As already mentioned in Unit 2, vowels can be long or short and the same applies to **ä**.

b Listen again and repeat.

5 Sprechen

▶ 3.05 **React by agreeing ☺ or disagreeing ☹. If you disagree, say what you prefer. You will then hear the right answer. Listen to two examples first.**

1 ☺ 2 ☹ → Tee 3 ☺ 4 ☹ → Fisch 5 ☺ 6 ☹ → Äpfel

1 ▪ Ich esse gern Obst.
▪ Ich auch.
2 ▪ Ich trinke gern Kaffee.
▪ Ich nicht. Ich trinke lieber Tee.

I prefer

INFO
☺ Ich esse gern Obst. ☹ Ich esse nicht gern Obst.
☺ Ich auch. ☹ Ich auch nicht.
☹ Ich nicht. ☺ Ich schon.

6 Über mich

What do you like to eat and drink? Write an example of each. If necessary, use a dictionary.

Ich esse gern sushi. Ich trinke gern Wasser.

Äpfel Tee

INFO

Did you know ...
The American president John F. Kennedy said, **"Ich bin ein Berliner"** in a speech in Berlin in 1963. It wasn't quite right grammatically, so he actually said "I am a jam doughnut". Just one tiny article, but a huge difference in meaning.

INFO

To denote the inhabitants of a city, you usually add the ending **-er** (masculine form) or **-erin** (feminine form) to the name of the city. The same can often be done for nationalities. Another common ending is **-e/-in**.
Examples:

Schweiz	Schweiz**er**	Schweiz**erin**
Polen	Pol**e**	Pol**in**

Exception: **Deutscher** and **Deutsche**. Nationalites and inhabitants of cities take the verb **sein** without an article: John F. Kennedy war (*was*) US-Amerikaner, nicht Berliner.

7 Wörter entdecken: Nationalitäten

Which food is named after the inhabitants of which city or country? Try to find the right names and draw lines.

A B C D E

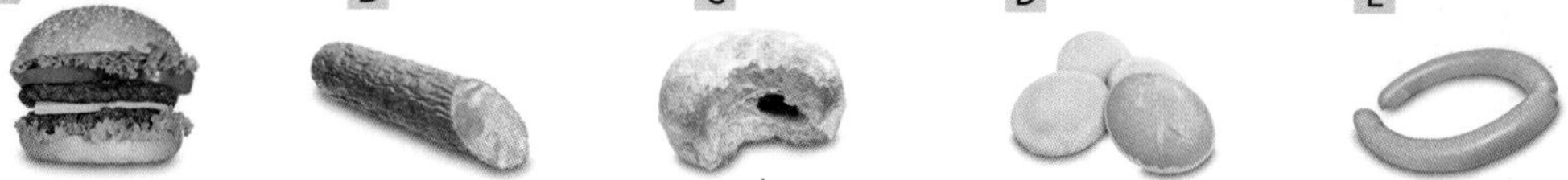

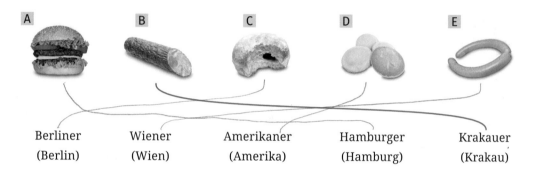

Berliner (Berlin) — Wiener (Wien) — Amerikaner (Amerika) — Hamburger (Hamburg) — Krakauer (Krakau)

8 Üben: Nationalitäten

Fill in the right words and add the feminine form.

~~Chinese~~ ~~Deutscher~~ ~~Engländer~~ Japaner ~~Russe~~

1 Herr und Frau Müller kommen aus Deutschland. Er ist Deutscher. Sie ist Deutsche.
2 Herr und Frau Wang kommen aus China. Er ist Chinese, sie ist Chinesin.
3 Familie Markow kommt aus Russland. Herr Markow ist Russe, Frau Markowa ist Russin.
4 Herr und Frau Webster kommen aus England. Er ist Engländer, sie ist Engländerin.
5 Herr und Frau Nakamura kommen aus Japan. Er ist Japane, sie ist Japanerin.

9 Über mich

Fill in your country of origin and your nationality. If necessary, use a dictionary.

Ich komme aus Kanada. Ich bin Kanadierin.

10 Lesen

a Read the forum comments and fill in the information. Tip: try to do it without reading the glossary. You'll find you understand all the relevant information.

1 Die Deutschen essen Berliner im Karneval.
2 In München heißen Berliner Krapfen.
3 In Berlin heißen sie Pfannkuchen.

21.09. 16:07 Uhr

Es ist Karneval! Was ist Karneval ohne einen leckeren Berliner? Nichts! Berliner backen ist einfach: Für den Teig braucht ihr 1 kg Mehl, 80 g Hefe, 500 ml Milch, 100 g Butter, 50 g Zucker, 4 Eier, 1 Zitrone und ein Glas Marmelade (ca. 200 g).

Mehr lesen ...

21.09. 18:31 Uhr

1 Kilo Mehl? Das sind 1000 Gramm! Wer isst so viele Krapfen? (Hier in München heißen Berliner „Krapfen") ☺

21.09. 19:15 Uhr

Brauche ich wirklich eine Zitrone für Berliner? Ich möchte Berliner backen, aber ich habe keine Zitrone.

21.09. 20:58 Uhr

@Aylin_backt → Nein, du brauchst keine Zitrone. Ich backe Berliner immer ohne Zitrone.

@derBayer → 1 kg Mehl ist sehr viel. Für 12 bis 15 Berliner nehme ich 500 g Mehl, circa 40 g Hefe, 250 ml Milch, 50 g Zucker, 4 Eier, 70 g Butter. Übrigens: Ich bin Berlinerin und hier heißen Berliner „Pfannkuchen". ☺

b Fill in the amounts in Marie's und Carola's recipes.

Marie: 100 g Butter — (ein)hundert; 200 g Marmelade — zweihundert

500 ml Milch — fünfhundert; 1000 g Mehl — (ein)tausend

Carola: 50 g Zucker — fünfzig; 250 ml Milch — zweihundertfünfzig

WORDS	
ohne	*without*
backen	*to bake*
• Teig	*dough*
brauchen	*to need*
• Mehl	*flour*
• Hefe	*yeast*
• Zitrone	*lemon*
• Marmelade	*jam*
nehmen, nimmt	*(for recipes) to use*

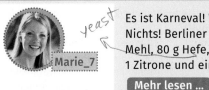

11 Üben: Zahlen

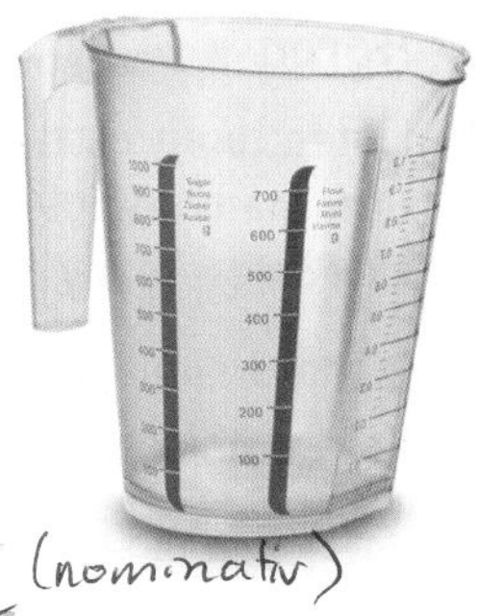

Write the numbers in words.

1 450 g vierhundertfünfzig Gramm
2 375 ml dreihundert fünfundsiebzig Milliliter
3 185 l einhundert fünfundachtzig Liter
4 960 kg neunhundert sechtzig Kilo

12 Grammatik entdecken: Wer oder was?

Read the following sentences and mark them like this: blue for the person or thing that is doing or being something, green for the thing the action is directed at.

1 Ihr macht einen Teig. Der Teig für Berliner ist einfach.
2 Für den Teig braucht ihr ein Glas Marmelade.
3 Brauche ich wirklich eine Zitrone?
4 Ich möchte Berliner backen.
5 Der Berliner schmeckt gut. Ich esse noch einen Berliner.

INFO

The masculine article changes its form:
Ihr macht • ein**en** Teig.
• **Der** Teig für Berliner ist einfach.
• **Der** Berliner schmeckt gut.
Ich esse noch • ein**en** Berliner.
Masculine articles also change after **für** and **ohne**:
für den Teig / **ohne** ein**en** Berliner.

13 Sprechen: Karaoke

▶ 3.06 **Listen and react by reading the answers out loud.**

- ...
- Backen wir einen Apfelkuchen?
- ...
- 125 g Butter, 180 g Zucker, 2 Eier, 250 g Mehl ...
- ...
- Klar! Wir brauchen auch Äpfel. Ohne die Äpfel ist es kein Apfelkuchen.
- ...
- Wir brauchen keine Zitrone.

INFO

The word **kein-** can be used as well as **nicht** to make a negative:
Ich möchte • **einen** Berliner. (✓) / Ich möchte • **keinen** Berliner. (–)
Ich habe • **eine** Zitrone. (✓) / Oh, ich habe • **keine** Zitrone. (–)
Ich brauche • Mehl. (✓) / Ich brauche • **kein** Mehl. (–)
Wir brauchen • Äpfel. (✓) / Wir brauchen • **keine** Äpfel. (–)

→ at work

14 Hören

▶ 3.07 **a Listen to an extract from an interview with Richard Paulsen. He's head chef on a ship. How many people does he cook for every day? How many restaurants are there on the ship? How many chefs work on the ship? Fill in the numbers.**

Richard Paulsen kocht für 4,000 Personen. Auf dem Schiff sind 13 Restaurants und 300 Personen arbeiten im Team von Paulsen.

b What do guests particularly like eating and drinking? Listen again and mark with crosses.

1 Die Gäste essen gern
- ☑ Steak.
- ☐ Gemüse.
- ☑ Obst.
- ☑ Fisch.
- ☑ Salat.

2 Sie trinken gern
- ☐ Kaffee.
- ☐ Bier.
- ☐ Wasser.
- ☐ Tee.
- ☑ Wein.

WORDS
- • Bier *beer*
- • Wein *wine*

15 Üben: Große Zahlen

▶ 3.08 **What do you think? How much does Richard Paulsen need for a 7-day cruise? Guess! Write what you think down in pencil. Then listen and fill in the right figures. So? How well did you guess?**

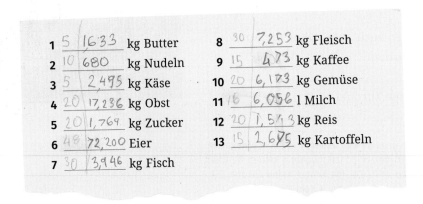

1	5 | 16 33	kg Butter	8	30 | 7,253	kg Fleisch
2	10 | 680	kg Nudeln	9	15 | 473	kg Kaffee
3	5 | 2,495	kg Käse	10	20 | 6,173	kg Gemüse
4	20 | 17,236	kg Obst	11	16 | 6,056	l Milch
5	20 | 1,769	kg Zucker	12	20 | 1,543	kg Reis
6	48 | 72,200	Eier	13	15 | 2,675	kg Kartoffeln
7	30 | 3,946	kg Fisch			

16 Sprechen

▶ 3.09 **a Listen and repeat.**

Was darf es denn heute sein? ↘	*What can I get you today?*
Haben Sie Lachs? ↗	*Have you got any salmon?*
Dann nehme ich 5400 Kilo Orangen und 3200 Kilo Tomaten. ↘	*I'll have 5,400 kilos of oranges and 3,200 kilos of tomatoes then.*
Was hast du sonst noch im Angebot? ↘	*What else have you got on offer?*
Darf es sonst noch etwas sein? ↗	*Anything else?*

b Read the two conversations between Richard Paulsen and the wholesalers and fill in the sentences from exercise a.

1 ■ Guten Tag. Bitte sehr?
■ Guten Tag, ich brauche Fisch. Haben Sie Lachs?
■ Natürlich, der Lachs ist ganz frisch.
■ Wunderbar. Ich nehme 2500 Kilo.
■ Sehr gern. Darf es sonst noch etwas sein?
■ Nein, danke.
■ Auf Wiedersehen.

2 ■ Hallo, Richard. Alles klar? Was darf es denn heute sein?
■ Hallo, Michi. Ich brauche Obst und Gemüse: 2675 kg Kartoffeln, 4800 kg Äpfel und 2750 kg Bananen. Was ~~haben Sie~~ hast du sonst noch im Angebot?
■ Die Orangen sind sehr gut und die Tomaten ganz frisch.
■ Sehr gut. Dann nehme ich 5,400 kilo Orangen und 3,200 kilo Tomaten.
■ Wunderbar. Wie immer direkt zum Schiff?
■ Ja, vielen Dank.
■ Tschüs, Richard.
■ Tschüs.

WORDS

natürlich	*sure*
ganz frisch	*very fresh*

▶ 3.10 **c Karaoke: listen to what the wholesalers say and play Richard Paulsen's role.**

INFO

Just as **Guten Tag** – or in southern Germany and Austria **Grüß Gott**, and in Switzerland **Grüezi** – is the formal way to greet someone, **Auf Wiedersehen** is the formal way to say goodbye. You mostly use these forms when you're on "Sie" terms with someone.
Informally, you usually greet someone by saying **Hallo** and say goodbye with **Tschüs**, or often with the Italian word **Ciao/Tschau.** There are some regional differences here, too, ranging from **Ade** (Switzerland, south-west Germany) to **Baba** (Austria). The Bavarian-Austrian word **Servus** can be used both as an expression of greeting and of farewell.

17 Wörter und Wendungen

Your words: what food words do you want to remember? Make a note of them here.

German	English	German	English
die Birne, -n	pear	der Reis	rice
das Gemüse	vegetable	der Fisch	fish
das Obst	fruit	die Butter	butter
das Müsli	müsli	der Käse	cheese
die Nudel, -n	noodles	der Apfel	apple
die Kartoffel	potato	die Milch	milk
		das Brot	bread

18 Grammatik: Plural

-n/-en	-e/¨e	-er/¨er	-/¨	-s
Birne**n**	Salat**e**	Ei**er**	Kuchen	Müsli**s**
Frau**en**	S**ä**ft**e**	Gl**ä**s**er**	**Ä**pfel	

What plural form goes with what noun? Unfortunately, there are not many rules or tendencies:

-n/-en: often used with feminine nouns: • die Tomate → • die Tomate**n**, • die Banane → • die Banane**n**
-/¨: masculine and neutral nouns ending in **-el, -en, -er:** • der Berliner → • die Berlin**er**
-s: often used with foreign words, particularly English ones: • das Hotel → • die Hotel**s**

It's best to just learn the plural form when you learn a new noun. In this teach-yourself book, plurals are marked with a yellow dot •. All plural forms can be found in the glossary and also from Unit 4 on.
The definite article for plural forms is **die**.
Careful: the feminine ending **-in** (• die Wiener**in**, • die Journalist**in**) has a plural form: **-nen** (• die Wienerin**nen**, • die Journalistin**nen**).

19 Grammatik: Nullartikel

As you already know, there is usually an article before a noun. However, there is no article before:

- names / names of companies: Ich arbeite bei **BMW**.
- words denoting inhabitants of cities or nationalities: Sie ist **Russin**.
- jobs when used with **sein, werden** (*to be, going to be*) or **als** (*as*): Ich **bin/werde Autorin**. Olga arbeitet **als Journalistin**.
- quantities: Wir brauchen **250 g Zucker**.
- indefinite or uncountable amounts such as liquids and other substances: Oft essen wir **Fisch** mit **Gemüse**. Ich liebe **Eier**. Ich esse gern **Reis**. Ich trinke gern **Kaffee**.

20 Grammatik: Negativartikel *kein-*

One peculiarity of the German language is the negative article **kein-**. It can be used as well as **nicht** to make a negative. Its different forms are like those of the word **ein-**. Notice the plural form.

- ein Fisch → **k**ein Fisch • ein Brot → **k**ein Brot
- eine Zitrone → **k**eine Zitrone • Zitronen → **keine** Zitronen

Remember: nouns with the articles **der, das, die** (definite articles) form the negative with **nicht** (see Unit 2): **Ich brauche nicht das Mehl, ich brauche die Butter.**

The negative article **kein-** is used to negate:

> Nouns with the articles **ein, eine** (indefinite articles): **Ich brauche • eine Zitrone.** (✓) (*I need a lemon.*) / **Ich brauche • keine Zitrone.** (–) (*I don't need any lemons.*)

> Nouns with no article: **Ich brauche • Mehl.** (✓) (*I need flour.*) / **Ich brauche • kein Mehl.** (–) (*I don't need any flour.*) **Wir brauchen • Äpfel.** (✓) (*We need apples.*) / **Wir brauchen keine Äpfel.** (–) (*We don't need any apples.*)

21 Üben

***Kein-* or *nicht*? Fill in. Make sure you use the correct form of *kein-*.**

1 Linda trinkt gern Bier. Aber sie hat __________ Bier.

2 Ist das der Zug nach Zürich? – Nein, das ist __________ der Zug nach Zürich.

3 Das ist __________ Reis. Das ist Mehl.

4 Sind das die Fische für das Abendessen? – Nein, das sind __________ die Fische für das Abendessen.

5 Nein, das ist __________ Herr Wang aus China. Das ist Herr Nakamura aus Japan.

22 Grammatik: Akkusativobjekt

Many verbs show an activity: **Oliver isst.** You often want to say what the activity refers to: **Oliver isst einen Apfel.** This is like the direct object in English. In German, there's a grammatical form for this: the accusative. Masculine articles change in the accusative form:

- der/ein/kein Apfel → Oliver isst • **den/einen/keinen** Apfel.

Notice: the accusative form is also used after **für** and **ohne**: für ein**en** Apfelkuchen / ohne ein**en** Berliner.

23 Üben

Mark the correct form.

1 Ich kaufe die/ --- Äpfel. Neun Äpfel brauche ich für ein/einen Kuchen. Aber ein/einen Apfel esse ich.

2 Anna liebt der/--- Obstsalat. Für ein/einen Obstsalat braucht sie einen/--- Apfel, eine/--- Birne, eine/--- Banane und eine/--- Orange.

3 Haben wir noch der/--- Apfelsaft? – Nein, wir haben kein/keinen Apfelsaft.

4 Isst du gern das/--- Steak? – Nein, ich esse nicht/kein Fleisch.

3 Germany's favourite tipple

The picture shows one of Germany's favourite drinks. What is it?

- **A** ☐ white wine mixed with apple juice
- **B** ☐ a special sort of beer with no foam
- **C** ☒ sparkling water mixed with apple juice

"In particular, we do not want [...] to be used in any beer [...] with the exception of barley, hops and water [...]." This decree, the Bavarian purity law for beer of 1516, is now the law in the whole of Germany. It is the pride of the German guild of brewers'. This was actually the first anti-drug law in the world. In the middle ages, brewers had a penchant for mixing intoxicating substances such as deadly nightshade or opium poppy into beer. It was particularly embarrassing for the Church as the original brewers were monks. The name **München**, the home of the famous **Hofbräuhaus**, actually means "home of the monks".

In recent years, brewers have had to deal with some major setbacks. The consumption of beer has dropped steadily and a study has shown that Germans do, in fact, drink more wine than beer. And what's the national drink? It's coffee, followed by water, which is often mixed with fruit juices. The picture above shows a very popular example of this: an **Apfelschorle** (in Austria: **Gspritzter**, in Switzerland: **Apfelsprudel**) – sparkling water mixed with apple juice.

Generally, cafés and restaurants like to experiment with different drink mixtures and every beer garden serves drinks like **Radler (Alsterwasser)** for drivers: beer mixed with lemonade – mostly in a 1 litre (approx. 2 pint) beer glass.

By the way: the famous 1 litre beer glass is only found in beer gardens and at traditional festivals. So, don't be disappointed if you order a beer at a bar or restaurant and only get a modest 0.5 litre (approx. 1 pint) glass. Depending on the type of beer, the glass may be even smaller. A very extreme example of mixing is **Berliner Weiße** – beer mixed with raspberry syrup or sweet woodruff. Despite the purity law, and although opium poppy and deadly nightshade have had their day, people still have a penchant for experimenting. So, be careful!

4 Das mag ich!

In this unit you will learn to talk about your likes and dislikes:

- talking about your favourite leisure activities
- saying who or what you like/dislike
- saying how you like your job
- interpreting basic statistics

1 Über mich

a What do you enjoy doing? What don't you enjoy so much? Mark with crosses.

Was machen Sie gern?

	☺ gern	☹ nicht so gern
1 Obst essen	☐	☐
2 Bier trinken	☐	☐
3 schwimmen	☐	☐
4 arbeiten	☐	☐
5 lesen	☐	☐

b Write sentences using your answers from a.

1 *Ich esse gern / nicht so gern Obst.*
2 ______________________
3 ______________________
4 ______________________
5 ______________________

2 Gut aussprechen: Rhythmus

▶ 4.01 **Listen and repeat.**

Ich **sin**ge gern ↘. Aber leider nicht so **gut**. ↘	*I enjoy singing but I'm not very good.*
Wir mögen **Tie**re. ↘	*We like animals.*
Wir haben drei **Hun**de →, vier **Kat**zen → und zwei **Pfer**de. ↘	*We've got three dogs, four cats and two horses.*
Wir reiten **je**den Tag. ↘	*We ride every day.*
Klettern →, **lau**fen →, **Ski** fahren →, **Fahr**rad fahren → – ich mache **al**les gern. ↘	*Climbing, running, skiing, cycling – I enjoy all of them.*
Nur **Tan**zen macht mir keinen Spaß. ↘	*The only thing I don't enjoy is dancing.*
Das ist **lang**weilig. ↘	*That's boring.*
Wir mögen die italienische **Kü**che. ↘	*We like Italian food.*

INFO

Rhythm is shown by marked differences between emphasised and unemphasised syllables. You've already learned about lexical stress (Unit 2). But within a sentence there are also some heavily stressed words, i.e. they're spoken particularly loudly and clearly. In the exercise stressed syllables are marked in bold. Different words can be stressed in a sentence depending on what the speaker wants to emphasise.

3 Lesen

a Who enjoys doing what? Read the statements and fill in the right names.

1 ______________________ essen gern italienisch.
2 ______________________ macht gern Sport.
3 ______________________ liest gern.
4 ______________________ hört gern Musik.
5 ______________________ lieben Filme.

~ Franziska ~
Ich lese gern. Die Bücher von Charlotte Link gefallen mir besonders gut.

~ Jonas ~
Ich höre gern Musik. Besonders gern mag ich Hip Hop und Rap. Ich singe auch gern, aber leider nicht so gut.

~ Sina und Sarah ~
Wir gucken gern Filme. Ich mag Liebesfilme, aber Sarah mag Krimis lieber. Und wir mögen Tiere. Wir haben drei Hunde, vier Katzen und zwei Pferde. Wir reiten jeden Tag.

~ Michael ~
Ich liebe Sport: klettern, laufen, Ski fahren, Fahrrad fahren – ich mache alles gern. Nur Tanzen macht mir keinen Spaß. Das ist langweilig.

~ Petra und Christian ~
Wir mögen die italienische Küche. Wir kochen oft italienisch. Und wir trinken gern Wein. Besonders gut schmeckt uns der Montepulciano.

INFO

You can show who and what you like or what you enjoy doing like this:
For activities you use a **Verb + gern**: **Wir gucken gern Filme.** (*We enjoy watching films.*)
For people and things you use **mögen**: **Ich mag Liebesfilme.** (*I like romantic films.*)
If you prefer something, use **lieber mögen**: **Sarah mag Krimis lieber.** (*Sarah prefers crime stories.*). Dictionaries give the word **bevorzugen** as the translation of "prefer", but it's rarely used in every-day language.
If you think something's nice or good, you can use **gefallen (er/es/sie gefällt): Die Bücher von Charlotte Link gefallen mir (besonders gut).** (*I (particularly) like Charlotte Link's books.*)
Careful: for food and drink you must use **schmecken**: **Wein schmeckt uns.** (*We like wine.*)

b **Read the statements in exercise a again and fill in the information.**

1 Franziska mag _die Bücher von Charlotte Link_.
2 Jonas mag ______________________.
3 Sina und Sarah mögen ______________________.
4 Michael mag ______________________.
5 Petra und Christian mögen ______________________.

INFO
mögen (*to like*)
ich mag
du magst
er/es/sie mag
wir mögen
ihr mögt
sie/Sie mögen

4 Üben: *gern tun, mögen, gefallen*

Fill in examples 2 to 4 following the pattern in number 1. Make sure you use the right forms of the verbs and pronouns!

1 A Franziska liest gern Bücher von Charlotte Link.
B Sie mag die Bücher von Charlotte Link.
C Die Bücher von Charlotte Link gefallen ihr.
2 A Jonas ______________________.
B Er ______________________.
C Hip Hop gefällt ihm.
3 A Sina ______________________.
B Sie mag Liebesfilme.
C ______________________.
4 A Petra und Christian ______________________ Wein.
B Sie ______________________.
C Wein ______________________.

INFO
Das Buch gefällt / Die Bücher gefallen ...
Der Wein schmeckt ...
mir
dir
ihm/ihr
uns
euch
ihnen/Ihnen

5 Sprechen

▶ 4.02 **Listen and give a positive answer, i.e. always answer with *Ja*. You will then hear the right answer. Listen to an example first.**

■ Gefällt Ihnen die Schweiz?
■ Ja, die Schweiz gefällt mir.

6 Lesen

Read the statistics and fill in the right colours.

1 Am liebsten mögen die Deutschen für ihr Auto die Farbe *Grau*.
2 Sehr vielen gefällt auch ________________.
3 Zwanzig Prozent gefällt ________________.
4 Fast zehn Prozent mögen ________________.
5 ________________ gefällt nur sehr, sehr wenigen.

WORDS

am liebsten	*best*
• Farbe, -n	*colour*
fast	*nearly/almost*
wenige	*few*
Lieblings-	*favourite*

DIE BELIEBTESTEN AUTOFARBEN IN DEUTSCHLAND

Lila, **Rosa**, **Orange** mögen die Deutschen nicht so gern – nicht für ihr Auto. Das sind ihre Lieblingsfarben für Autos:

INFO

Percentages are read like this:
24,9 % = vierundzwanzig **Komma** neun **Prozent**

7 Richtig schreiben: Farben

Fill in the colours.

INFO

When colours are used as nouns, they take a capital letter (**Ich mag Rot.**). If a colour shows a characteristic, it's spelled in lower case (**Das Auto ist rot.**).

1 Tinas Lieblingsfarbe ist ____________.

2 Die Autos von Politikern sind fast immer ____________.

3 Gefällt dir die Farbe ____________?

4 Bananen sind ____________.

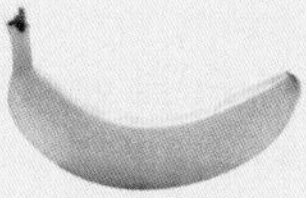

5 Ich mag ____________ nicht.

6 Die Milka-Kuh ist ____________ und ____________.

INFO

Did you know that **Milka** chocolate is originally from Switzerland? **Milka** (**Mil**ch and **Ka**kao) has been sold in purple packaging since 1901. Nowadays, **Milka** belongs to an American food company. But the chocolate is still almost all produced in Lörrach on the border between Germany and Switzerland. There's even a **Milkastraße** in Lörrach.

8 Hören

▶ 4.03 **Listen to what the people say. What's right? Mark with crosses.**

1	☐ Mein Lieblingsbuch	☐ Mein Lieblingsfilm heißt	*Das andere Kind.*
2	☐ Mein Lieblingssänger	☐ Meine Lieblingsband	ist Cro.
3	☐ Unsere Lieblingsschauspielerin	☐ Unser Lieblingskrimi	heißt Josefine Preuß.
4	☐ Mein Lieblingsverein ist	☐ Mein Lieblingsfußballer kommt von	Borussia Dortmund.
5	☐ Unser Lieblingswein	☐ Unser Lieblingsessen	kommt aus Deutschland.

WORDS

• Kind, -er	*child*
• Sänger, -	*singer*
• Schauspielerin, -nen	*actress*
• Verein, -e	*team*
• Fußballer, -	*footballer*

9 Üben: Fragen und Antworten

Match the questions and answers.

1 Was ist Tinas Lieblingsfarbe?
2 Wie heißt dein Lieblingsschauspieler?
3 Wo ist mein Deutschbuch?
4 Kinder, was ist euer Lieblingsessen?
5 Was ist Ihr Lieblingstier?

a Unser Lieblingsessen ist natürlich Pizza.
b Das weiß ich nicht.
c Ihre Lieblingsfarbe? Ich weiß nicht.
d Ich mag Katzen.
e Ich habe keinen Lieblingsschauspieler.

WORDS

Wo ...?	*Where ...?*
Ich weiß nicht.	*I don't know.*

INFO

- ein Schauspieler → **mein** Lieblingsschauspieler (*an actor → my favourite actor*)
- ein Essen→ **mein** Lieblingsessen (*a meal → my favourite meal*)
- eine Farbe → **meine** Lieblingsfarbe (*a colour → my favourite colour*)
- Bücher → **meine** Lieblingsbücher (*books → my favourite books*)

The other forms are: **dein-** (*your*), **sein-** (*his, its*), **ihr-** (*her*), **unser-** (*our*), **euer-** (*your*), **ihr-/Ihr-** (*their/your (polite form)*):
Wie heißt **dein** Lieblingsschauspieler?

10 Lesen

Radio host Kathi Kienzle has written her profile. What does she say about herself? Read and fill in the speech bubble.

Lieblingsessen: Frikadellen mit Kartoffelsalat
Lieblingsfilm: *Oh Boy*
Lieblingsschauspieler: Jan Josef Liefers
Lieblingsbuch: *Das Parfum*
Lieblingssängerin: Helene Fischer
Lieblingstier: Katze
Lieblingsfarbe: Weiß

Mein Lieblingsessen ist „Frikadellen mit Kartoffelsalat". ____________
ist „Oh Boy". ____________ heißt ____________.
____________ ist „Das Parfum". ____________
heißt Helene Fischer. ____________ ist die Katze.
____________ ist ____________.

INFO

Frikadellen are patties made of minced beef or pork. Nowadays, there are vegetarian varieties, too. **Frikadellen** have very different names depending on the region, e.g. **Buletten** (north Germany), **Fleischküchle** (Hessen and Frankonia), **Fleischpflanzerl** (Bavaria), **Hacktätschli** (Switzerland) and **Fleischlaibchen / Faschiertes Laibchen** (Austria).

11 Schreiben und Sprechen

Fill in the form with information about yourself and then speak following the example in exercise 10. Look up any words you need in a dictionary.

Lieblingsessen: ____________________
Lieblingsfilm: ____________________
Lieblingsschauspieler/-in: ____________________
Lieblingsbuch: ____________________
Lieblingssänger/-in: ____________________
Lieblingstier: ____________________
Lieblingsfarbe: ____________________

Mein Lieblingsessen ist ____

____

____

____

____

12 Gut aussprechen und richtig schreiben: *b, d, g*

▶ 4.04 **a Listen and repeat. Be careful with the highlighted letters.**

1 gelb – Obst – Rap – Hip Hop
2 Pferd – Hund – rot – schmeckt
3 Tag – mag – Musik – Küche

INFO

When **b, d, g** come at the end of a word, they're pronounced like **p, t, k**. This phenomenon is called **Auslautverhärtung** (final-obstruent devoicing). And: **p, t, k** sound harder in German than in many other languages. Speak "explosively"!

b Fill in the missing forms.

1 das Pferd – die Pferde
2 der Tag – die __________
3 der __________ – die Hunde
4 ich mag – wir __________
5 Das Auto ist __________. – Rote Autos gefallen mir.
6 Das Auto ist __________. – Gelbe Autos gefallen mir nicht.

▶ 4.05 **c Listen to the words and sentences from exercise b and repeat.**

INFO

Have you memorised that? When **b, d, g** come at the end of a word, they sound hard, but when they're in the middle or at the beginning of a word, they're soft!

13 Hören

▶ 4.06 **Listen and fill in the people's jobs or apprenticeships (• *Ausbildung*).**

Musiker/-in

Industrie-mechaniker/-in

Bankkaufmann/-frau

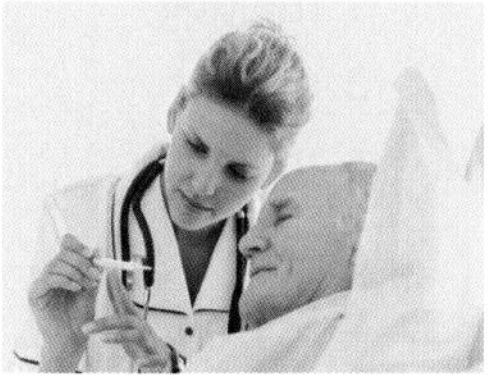

Krankenpfleger/-schwester

1 Ich bin Auszubildende. Ich mache eine Ausbildung als ______________________. Mein Beruf macht mir Spaß. Später möchte ich studieren.

2 Ich habe eine Ausbildung als Koch. Aber ich koche nicht gern. Ich liebe Musik. Jetzt arbeite ich als ______________________.

3 Ich bin ______________________ von Beruf. Mein Beruf gefällt mir sehr.

4 Viele möchten studieren. Ich nicht. Ich lerne nicht gern. Ich mache jetzt eine Ausbildung als ______________________.

INFO

The word **studieren** is only used for studies at university. For studying in the sense of "doing an apprenticeship" or "learning something so it's fixed in your mind", you use the word **lernen**.

INFO

The **duale Ausbildung** is the apprenticeship system in German-speaking countries. An apprenticeship is done at a company and at vocational college. So, theoretical and practical knowledge go hand in hand. Someone who's doing an apprenticeship is called an **Auszubildender/Auszubildende** or an **Azubi** for short. A female **Azubi** is also known as an **Azubine**.

14 Sprechen: Karaoke

▶ 4.07 **Listen and react by reading the replies out loud.**

- …
- Ich bin Bankkauffrau. Und du?
- …
- Gut. Mein Beruf macht mir Spaß.
- …
- Nicht? Ich möchte gern studieren.
- …
- Vielleicht BWL.
- …

WORDS

BWL (• Betriebswirtschaftslehre) *Business Studies*

15 Wörter und Wendungen

Translate into German.

1 the dog ______________ 2 to cycle ______________
3 to ride ______________ 4 the horse ______________
5 to dance ______________ 6 to watch ______________
7 the car ______________ 8 the nurse ______________
9 boring ______________ 10 yellow ______________

16 Grammatik: Unregelmäßige Verben

Some irregular verbs have the same form in the 1st (**ich**) and 3rd (**er/es/sie**) person singular. The plural form is regular – as with all verbs in present with the exception of **sein**:

	mögen	**„möchten“**	**wissen**
ich	**mag**	möchte	**weiß**
du	**magst**	möchtest	**weißt**
er/es/sie	**mag**	möchte	**weiß**
wir	mögen	möchten	wissen
ihr	mögt	möchtet	wisst
sie/Sie	mögen	möchten	wissen

Notice the difference in meaning between **mögen** (*like*) and “**möchten**” (*would like*).

17 Üben

Fill in the right form of the verb.

1 Was ist das Lieblingstier von Sarah? Wer ______________ (wissen) das?
2 Was ______________ (möchten) du studieren?
3 ______________ (mögen) ihr Rap und Hip Hop?
4 Elsa ______________ (möchten) eine Ausbildung als Friseurin machen.
5 Was kocht ihr heute? – Das ______________ (wissen) wir nicht.
6 ______________ (mögen) du die Filme mit Josefine Preuß?

18 Grammatik: Verben mit Dativ

With some verbs like **gefallen** and **schmecken** the person takes a particular form called the dative: **Das Buch gefällt mir.** (*I like the book.*). **Der Wein schmeckt mir.** (*The wine tastes good.*).

ich → **mir**, du → **dir**, er → **ihm**, es → **ihm**, sie → **ihr**, wir → **uns**, ihr → **euch**, sie → **ihnen**, Sie → **Ihnen**

There are only a few verbs with the dative form. Learn them by heart. You'll find more about the dative as an indirect object in Unit 9.

19 Üben

Fill in the dative.

1 ■ Tommy isst sein Essen nicht. Es schmeckt __________ nicht.
■ Nicht? _Mir_ schmeckt es.

2 ■ Wie gefällt dir Deutschland?
■ Deutschland gefällt __________ sehr gut.

3 ■ Nina und Olli sagen, der Salat schmeckt __________ nicht.
■ Oh, tut mir leid. Aber vielleicht schmecken __________ die Frikadellen?

4 ■ Und? Schmeckt euch das Essen?
■ Ja, das Essen schmeckt __________ sehr gut.

5 ■ Gefallen Anna-Maria Liebesfilme?
■ Nein, Liebesfilme gefallen __________ nicht.

6 ■ Das gefällt mir nicht!
■ Was gefällt __________ nicht?

20 Grammatik: Possessivartikel

Possessive articles show ownership of something (**Das ist meine Katze.**) or that something belongs to someone. They go before nouns and are formed the same way as the negative article **kein-**. They are used like articles in German and are therefore called possessive articles (instead of possessive adjectives).

	Singular			Plural
ich	• mein Hund	• mein Pferd	• meine Katze	• meine Hunde/Pferde/Katzen
du	dein	dein	deine	deine
er/es/sie	sein/sein/ihr	sein/sein/ihr	seine/seine/ihre	seine/seine/ihre
wir	unser	unser	unsere	unsere
ihr	euer	euer	eure (!)	eure (!)
sie/Sie	ihr/Ihr	ihr/Ihr	ihre/Ihre	ihre/Ihre

Notice: the masculine form changes in the accusative: **meinen, deinen, seinen, ihren, unseren, euren, ihren/Ihren.**
To show that something belongs to a named person, the letter **-s** is added to the name (**Tinas Lieblingsfarbe**). You can also use **von** (**die Lieblingsfarbe von Tina**).

21 Üben

Fill in the right possessive articles.

1 Was ist Brunos Lieblingsessen? – _Sein_ Lieblingsessen ist Pizza.
2 Wie heißt deine Katze? – __________ Katze heißt Minka.
3 Was ist Sophias Lieblingsauto? – __________ Lieblingsauto? Hm, ein Golf vielleicht?
4 Mögt ihr Blau? – Ja, das ist __________ Lieblingsfarbe!
5 Hey, da ist Pauls und Karins Auto. – Nein, das ist nicht __________ Auto.

4 All creatures great and small

Guess: Germany's favourite pet is the ...?

A ☐ cat **B** ☐ dog

Even the first chancellor of the Federal Republic of Germany, Konrad Adenauer, said, "Go against dog owners and you'll lose the absolute majority." Over 90% of Germans consider dogs an important part of society as police dogs, rescue dogs, guide dogs and, more recently, therapy dogs in the medical branch. Dogs are seen as providers of comfort and as social partners – not to mention the approx. 5 billion Euros turnover that dogs generate every year. More than a few dogs sport a collar made of Swarowski crystals with their designer coats and follow their visit to dog school with dinner in their feeding bowl with platinum appliqués, and some anti-plaque nibbles to keep their teeth nice and healthy. Dog handbooks regularly become bestsellers and dog trainers are TV celebrities. Dogs are even known to have caused marital crises, for example when Bello (who is nowadays called Paul or Emma) doesn't just sit on the sofa, watch TV and eat dog biscuits (obesity in dogs has become a real problem) but sleeps with "mum" in bed while her husband is relegated to the sofa. Germans' attitude towards their dogs was summed up nicely by former president of the republic Johannes Rau when he said, "My dog's rubbish as a dog but irreplaceable as a person."

Despite all that, Germany is more of a cat country than a dog country. 12.3 million cats live in German households, more than any other animal. Their owners spend almost 300 million Euros on cat food alone. There are cat boutiques, cat delicatessens, cat hairdressing salons and cat beauty parlours. What actually goes on in them? Go in and find out! And whilst dogs mostly have to be kept on a lead, cats are free to roam around as they please.

Wiederholung 1

Well done, you've mastered the first four units! You can already read long texts. You don't believe it? Then have a go at the first instalment of our serial ...

Freitag, der 13. (Teil 1)

5:00 Uhr morgens in Hamburg

„Du bist Koch – und wer bin ich?“ Nur sieben Wörter. Kein Name. Keine Adresse. Nichts. Ich lese den Text auf meinem Smartphone noch einmal[1]. Wer macht so etwas? Nein, ich habe jetzt keine Zeit. Ich arbeite als Koch auf einem Schiff, auf der Amalia Louisa. Wir fahren von Hamburg nach Sankt Petersburg, Helsinki und Stockholm.

Es ist 5:00 Uhr am Morgen. Die Hamburger sind noch im Bett. Ich bin auf dem Schiff, wir fahren um 7:30 Uhr. Ich trinke einen Kaffee – Tee mag ich nicht – und gehe in die Küche. Um 5:30 Uhr haben wir eine Team-Besprechung. Im Küchen-Team sind 50 Personen. Vier Kollegen sind da. Pedro kommt aus Spanien, Chen aus China, Tarik aus Syrien und Ilena ist Polin. Mein Chef heißt Jacques. Er ist Franzose[2], trinkt jeden Morgen ein Glas Wasser mit Zitrone und isst einen Apfel. Brrr! Kaffee mit Milch und ein Brot mit Marmelade, das ist ein Frühstück!

„Weißt du, was das ist, Lukas?“ Jacques hat eine Banane in der Hand. Die Banane ist schwarz. „Die Bananen sind nicht gut! Und die Orangen und viele Äpfel und Birnen auch nicht!“, sagt[3] er. „Unsere Gäste essen immer viel Obst. Wir brauchen Obst! Warum[4] sind die Bananen schwarz??“ Oje, es ist 5:20 Uhr, das Schiff fährt um 7:30 Uhr von Hamburg nach Stockholm und wir brauchen 800 Kilo Äpfel, 500 Kilo Bananen, 2 500 Kilo Orangen und 300 Kilo Birnen. Mein Smartphone vibriert. Ich lese: „Rot ist der Apfel, die Banane ist schwarz, rot ist die Liebe und schwarz ist was?“ ...

[1] noch einmal *once again*
[2] • Franzose, -n *Frenchman*
[3] sagen *to say*
[4] warum *why*

... to be continued after Unit 8 ...

1 Lesen

Read the text and decide whether the statements are true or false. Mark them.

	richtig	falsch
1 Die *Amalia Louisa* fährt von Hamburg nach Stockholm.	☒	☐
2 Das Schiff fährt um halb neun.	☐	☐
3 Jacques trinkt jeden Morgen Kaffee.	☐	☐
4 Ilena kommt aus Polen.	☐	☐
5 Die Bananen schmecken gut.	☐	☐
6 Die Köche auf dem Schiff kommen aus Deutschland.	☐	☐
7 Die Gäste essen gern Obst.	☐	☐

2 Üben: Länder und Nationalitäten

→ Unit 1 and 3

Look at the text again and fill in. Look up any unknown countries in a dictionary.

1 Jacques kommt aus *Frankreich*. Er ist *Franzose*.

2 Pedro kommt aus ________________. Er ist ________________.

3 Tarik kommt aus ________________. Er ist ________________.

4 Ilena kommt aus ________________. Sie ist ________________.

3 Schreiben

→ Units 2 and 3

Answer the questions with full sentences. Use the information given in the text.

1 Was trinkt Jacques jeden Morgen?

________________________________.

2 Ist Lukas von Beruf Koch?

________________________________.

3 Kommen die Köche auf dem Schiff aus Deutschland?

Nein, nur Lukas kommt aus Deutschland.

4 Wie viele Bananen braucht das Team?

________________________________.

5 Sind die Bananen gut?

________________________________.

6 Braucht Lukas Milch?

________________________________.

7 Wann ist die Team-Besprechung?

________________________________.

4 Hören

→ Units 2 and 3

▶ W1.01 **Which question goes with which answer? Listen to the questions and match them with their answers.**

1 __a__ **a** Aus Spanien.
2 ____ **b** Um 7:30 Uhr.
3 ____ **c** Aus Syrien.
4 ____ **d** Er ist Koch.
5 ____ **e** Nein, das Team braucht keine Eier.
6 ____ **f** Kaffee, Tee mag er nicht.

5 Üben: *der, die, was?*

→ Unit 3

Fill in the sentences with the right article.

1 Möchtest du __ein__ (das/ein/---) Brot mit Käse? ________ (Das/Ein/---) Brot hier ist gut.
2 ________ (Die/Eine/---) Tomate hier ist nicht gut! Wir brauchen andere ________ (die/ein/---) Tomaten.
3 Wir brauchen 500 g ________ (das/ein/---) Mehl, 250 g ________ (der/ein/---) Zucker, fünf ________ (das/ein/---) Eier und ________ (den/einen/---) Apfel.

6 Üben: *mein, dein, sein*

→ Unit 4

Fill in the sentences with the right possessive articles.

1 Wir sind ein Team von 50 Personen. ________ Chef heißt Jacques.
2 Ist das dein Auto, Ilena? – Ja, das ist __mein__ Auto.
3 Was ist deine Lieblingsfarbe? – ________ Lieblingsfarbe ist Blau.
4 Liebt Ilena ihren Hund? – Ja, Ilena liebt ________ Hund.
5 Pedro hat ein Pferd. Er mag ________ Pferd sehr.
6 Ilena und Tarik, sind das eure Bücher? – Ja, das sind ________ Bücher.

7 Üben: Wörter

→ Unit 4

Put the letters in the right order and fill in the sentences.
Remember that nouns start with a capital letter.

Was mag Ilena? Ilena mag ________ *(atknez)* und ________ *(fdrepe)*. Sie fährt gern Auto und ________ *(iselt)* viele Bücher. Sie ________ *(sist)* gern ________ *(peflä)* und mag auch ________ *(ichfs)*. Nicht so gern ________ *(thcok)* sie ________ *(seficlh)*. Sie ________ *(ebitl)* ________ *(rnieh)* Hund und Tarik!

8 Über mich

Write down some information about yourself. Write full sentences.

1 Ihr Name? ____________________
2 Ihr (Heimat-)Land? ____________________
3 Ihr Beruf? ____________________
4 Ihre Adresse? ____________________
5 Ihre Arbeitszeiten? ____________________
6 Ihr Lieblingsessen? ____________________
7 Ihre Lieblingsfarbe? ____________________

INFO

In exercises with the heading **Über mich**, you give information about yourself. You may wonder why you're being asked to write these answers in a coursebook. Well, certain questions and subjects will come up again and again in conversations with native speakers. If you've already thought about possible answers and have written them down, you'll be able to react more easily and much faster.

9 Sprechen: Karaoke

→ Unit 2

▶ W1.02

Listen and react by reading the replies out loud.

- ...
- Guten Tag. Mein Name ist Müller. Thomas Müller. Arbeiten Sie hier?
- ...
- Ich bin Bankkaufmann.
- ...
- Ich arbeite von Montag bis Freitag, jeden Morgen von 8:00 Uhr bis Mittag: Besprechungen, E-Mails schreiben, Termine vereinbaren, telefonieren. Von zwölf bis halb eins mache ich Mittagspause. Am Nachmittag habe ich Meetings und Präsentationen. Ich mache auch viele Dienstreisen. Am Mittwoch fahre ich nach Berlin und am Freitag habe ich eine Konferenz in Zürich. Oh! Zwei Uhr. Meine Besprechung beginnt.
- ...

10 Sprechen

▶ W1.03

Now have your own conversation. Listen to the questions and answer using your personal information from exercise 8.

5 Schönes Wochenende!

In this unit you will learn to talk about your weekend:

> talking about your weekend habits
> talking about last weekend
> talking about plans for the weekend

5 Am Sonntag schlafe ich meistens bis Mittag.

1 Hören

▶ 5.01 **a What's a typical weekend like for student Jan Berger? Listen and put the activities in chronological order.**

A
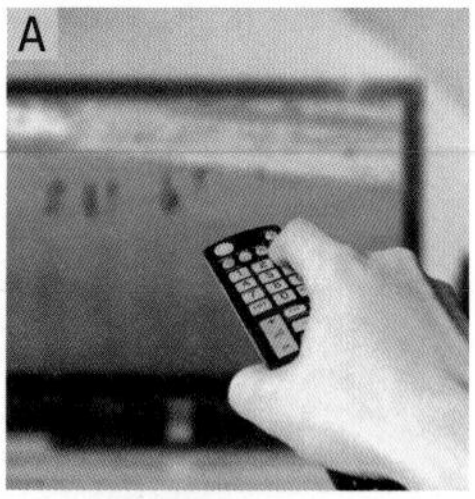

☐ • Fußball gucken

B
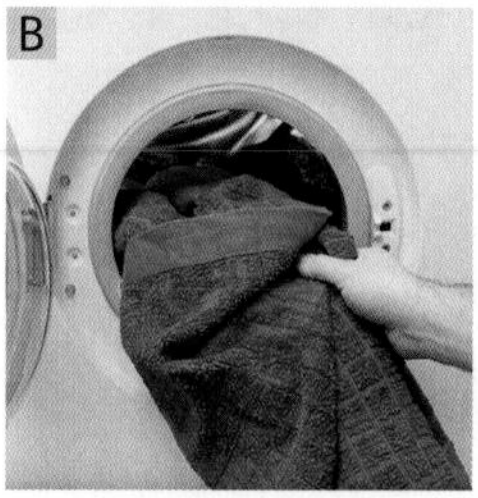

☐ • Wäsche waschen

C
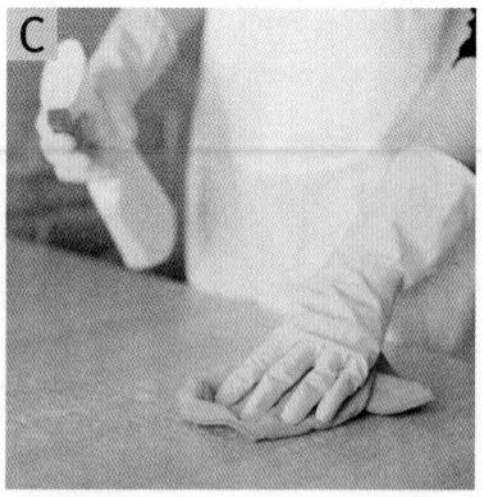

☐ putzen

D

[1] einkaufen gehen

E

☐ grillen

F
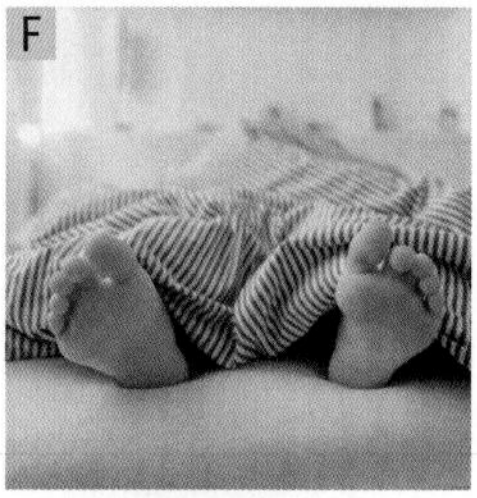

☐ schlafen

G
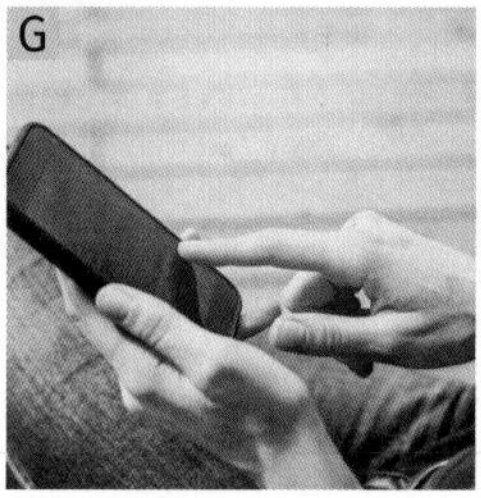

☐ • Nachrichten schreiben

H

☐ ins • Fitnessstudio gehen

b What does Jan do when? Listen again and fill in.

- Was machst du am Wochenende, Jan?
- ________ mache ich normalerweise den Haushalt: Zuerst gehe ich einkaufen, ________ wasche ich Wäsche und putze. Und ________ gucke ich immer Fußball.
- Und am Sonntag?
- Am Sonntag schlafe ich meistens bis Mittag. ________ frühstücke ich lange, schreibe Nachrichten und telefoniere. ________ gehe ich ins Fitnessstudio oder lerne für die Universität. ________ grille ich gern mit Freunden. Und was machst du am Wochenende?

WORDS

• Wochenende, -n	*weekend*
normalerweise	*normally*
den Haushalt machen	*to do the housework*
zuerst	*first*
dann/danach	*then/afterwards*
meistens	*mostly*
• Freund, -e	*friend*

2 Gut aussprechen: Nicht betontes *e* (1)

5.02 **Listen and repeat. Notice the letters marked in blue.**

Wäsche waschen – schlafen – putzen –
mit Freunden grillen – lange frühstücken –
Nachrichten schreiben

INFO

The letter **e** is only lightly pronounced in unstressed syllables. This is particularly true for the ending **-en**. Have you noticed that this **e** – pronounced [ə] – sounds different from the **e** in **Tee** [teː] or in **Bett** [bɛt]?

3 Sprechen

5.03 **Listen to the question and speak using the expressions given. You will then hear the right answer. Listen to an example first.**

1 bis Mittag schlafen
2 Wäsche waschen
3 ins Fitnessstudio gehen
4 für die Universität lernen
5 einkaufen gehen
6 Nachrichten schreiben und telefonieren

- Was machst du am Wochenende?
- Ach, nichts Besonderes.
  Meistens schlafe ich bis Mittag.

WORDS

Ach, nichts Besonderes. *Oh, nothing special.*

4 Über mich

How often do you do these things at the weekend? Choose a frequency adverb from the box and write sentences as shown in the example.

WORDS

selten *rarely*
nie *never*

immer | meistens | oft | manchmal | selten | nie

1 einkaufen gehen *Am Wochenende gehe ich oft einkaufen. / Ich gehe am Wochenende oft einkaufen.*

2 Wäsche waschen ______

3 putzen ______

4 bis Mittag schlafen ______

5 grillen ______

6 telefonieren ______

7 ins Fitnessstudio gehen ______

INFO

Read the sentences about yourself out loud. Repeat them several times.

5 Ich habe bis Mittag geschlafen.

5 Hören und Lesen

▶ 5.04 **a Monday morning! Jan meets his fellow student Annika. Listen and read. Who had a lazy (*faul*) weekend? Who was busy (*fleißig*)? Mark with crosses.**

1 ☐ Jan war am Samstag fleißig.
2 ☐ Annika war am Sonntag fleißig.
3 ☐ Jan und Annika waren am Wochenende faul.

- Guten Morgen, Jan. Wie geht es dir?
- Danke, gut. Und dir?
- Auch gut, danke. Wie war dein Wochenende? Was hast du gemacht?
- Ach, nichts Besonderes. Am Samstag habe ich geputzt ...
- Hey, du warst aber fleißig.
- ... und am Abend habe ich Fußball geguckt. Am Sonntag war ich faul. Zuerst habe ich lange gefrühstückt, dann habe ich mit Kevin telefoniert. Später haben wir zusammen gegrillt. Und was hast du am Wochenende gemacht?
- Ich war zu Hause in Leipzig. Wie immer! Du weißt: Ich komme aus Leipzig. Ich habe eine Freundin besucht. Später waren wir im Theater. Aber das Theaterstück hat uns nicht gefallen ... Und am Sonntag habe ich gelernt.
- Na, du warst aber auch sehr fleißig.

WORDS

zusammen	*together*
zu Hause	*at home*
(eine Freundin) besuchen	*to visit (a friend)*

b Read a again and fill in.

1 Jan _hat_ am Samstag _geputzt_.	Annika ______ zu Hause in Leipzig.
2 Am Abend ______ Jan Fußball ______.	Annika ______ eine Freundin ______. Später _waren_ sie zusammen im Theater.
3 Am Sonntag ______ Jan zuerst lange ______. Dann ______ er mit Kevin ______ und sie ______ zusammen ______.	Annika ______ am Sonntag ______.

INFO

Annika **ist** → Annika **war**
Annika und ihre Freundin **sind** →
Annika und ihre Freundin **waren**

INFO

You can talk about the past like this:
Jan **putzt** → Jan **hat geputzt**
Be careful with verbs that begin with **be-** (e.g. **besuchen**) or end with **-ieren** (e.g. **telefonieren**):
Annika besucht → Annika **hat besucht** Jan telefoniert → Jan **hat telefoniert**
Notice the word order:
Jan **hat** am Samstag **geputzt**. Annika **hat** eine Freundin **besucht**.

6 Sprechen: Karaoke

▶ 5.05 **Listen and react by reading the answers out loud.**

- ...
- Zuerst habe ich mein Fahrrad geputzt.
- ...
- Dann habe ich für die Universität gelernt.
- ...
- Danach habe ich gekocht und einen Kuchen gemacht.
- ...
- Für meine Freunde. Sie waren am Abend hier.
- ...
- Ach, nichts Besonderes. Am Sonntag war ich faul. Ich habe Musik gehört und Filme geguckt.

7 Grammatik entdecken: *Ich habe geschlafen.*

a **Annika writes a message to her friend Sarah in the evening. Mark the past forms in Sarah's answer and fill in the chart.**

Hallo Sarah, wie geht es dir? Was hast du heute gemacht? 19:16

Nichts Besonderes. Ich habe bis 10 Uhr geschlafen. Dann habe ich Wäsche gewaschen und geputzt. Danach habe ich Nachrichten geschrieben. Später habe ich Leon besucht und wir haben zusammen Kuchen gegessen und Tee getrunken. Und wie war dein Tag? 19:20

	Ich habe ...
1 schlafen	geschlafen
2 waschen	
3 schreiben	
4 essen	
5 trinken	

INFO
Learn the past form of irregular verbs by heart!

b **Now fill in Annika's answer.**

Mein Tag war (sein) okay. Ich ____________ (sein) fleißig. Zuerst habe ich ____________ (auch Wäsche waschen).
Dann ____________ (lernen) und
____________ (einen Text für die Uni schreiben).
Später ____________ (Kaffee trinken). Jetzt gucke ich noch einen Krimi und dann gehe ich ins Bett. Gute Nacht! 20:09

8 Üben: *Das habe ich gemacht.*

What does Moritz say about his weekend? Find the right words and fill in the sentences.

eine Stunde geboxt | 10 Kilometer gelaufen | Fahrrad gefahren | ~~zwei Stunden geritten~~ | auch geklettert | 1000 Meter geschwommen | Fußball gespielt | ins Fitnessstudio gegangen

- Machst du Sport, Moritz?
- Na klar. Letztes Wochenende ...

WORDS

• letztes Wochenende	*last weekend*
schließlich	*finally*

1

2

3

4

5

6

7

8

1 ... bin ich zuerst zwei Stunden geritten.
2 Dann bin ich ______________________.
3 Danach bin ich ______________________.
4 Später habe ich ______________________.
5 Und dann bin ich ______________________.
6 Ich bin ______________________.
7 Schließlich bin ich ______________________.
8 Ich habe ______________________.

- Wow! Du hast aber viel Zeit. Wann hast du denn das alles gemacht?
- In der Nacht: im Internet.

INFO

Verbs which show movement to or from a place (**gehen, laufen, fahren ...**) form the past with the verb **sein: Ich bin zuerst zwei Stunden geritten.**

9 Hören

▶ 5.06 **a The band *VielMusik* has been on tour in Switzerland. Where did they go first? And then? Listen to the conversation with their press officer and connect the cities.**

b When was the band where? Listen again and fill in.

1 ______________: Basel, Zürich

2 ______________: Luzern

3 ______________: Bern

4 vorgestern: Lausanne

5 ______________: Genf

WORDS

gestern	*yesterday*
vorgestern	*the day before yesterday*
• letzten Montag, Dienstag ...	*last Monday, Tuesday ...*
• letzte Woche	*last week*
• letzten Monat	*last month*
• letztes Jahr	*last year*
noch nie	*never*

10 Über mich

When did you do any of the following things or visit any of the places mentioned? Or have you never done them or been there? Write sentences.

1 einkaufen gehen: ______________

2 grillen: ______________

3 in der Schweiz sein: ______________

4 Fahrrad fahren: ______________

5 fleißig sein: ______________

6 in Berlin sein: ______________

7 einen Berliner essen: ______________

Annika

1 Ich bin gestern einkaufen gegangen.
2 Ich habe letztes Wochenende mit Freunden gegrillt.
3 Ich war noch nie in der Schweiz.
4 Vorgestern bin ich Fahrrad gefahren.
5 Letzte Woche war ich fleißig.
6 Ich war letztes Jahr in Berlin.
7 Ich habe noch nie einen Berliner gegessen.

Ich fahre übermorgen nach Hause.

11 Hören und Lesen

▶ 5.07 **It's Thursday evening. Jan and Annika have had their last lecture of the week. What are their plans for the weekend? Mark them in the conversation.**

- Fährst du morgen nach Hause?
- Nein, ich fahre übermorgen nach Hause.
  Meine Freundin Sarah und ich gehen tanzen.
  Und am Sonntag schlafe ich lange. Und du?
  Was machst du am Wochenende?
- Lernen, lernen – und lernen! Ich habe nächste Woche drei Tests.

WORDS

morgen	*tomorrow*
nach Hause	*home*
übermorgen	*the day after tomorrow*

INFO

You don't need a future tense in German when talking about your plans or other future events: **Ich fahre übermorgen nach Hause.**

12 Sprechen

▶ 5.08 **Listen to the questions and speak using the words given. You will then hear the right answer. Listen to an example first.**

1 arbeiten **2** Fußball gucken **3** mit Freunden grillen
4 lange frühstücken **5** eine Dienstreise machen

- Was machst du morgen?
- Morgen? Morgen arbeite ich.

13 Über mich

What are you doing next weekend? Fill in.

Nächstes Wochenende ______________________________
____
____
______________________________.

14 Lesen

Read the text about former footballer Celia Sasic's career history and fill in the profile.

Ausbildung als: ____________________ **Studium:** ____________________

Karrierebeginn als Fußballerin: ____________________

Karriereende als Fußballerin: ____________________

Celia Sasic hat schon als Kind gern Fußball gespielt. 1993, mit nur fünf Jahren, hat sie ihre Karriere beim Fußballverein TuS Germania Hersel begonnen. 22 Jahre war sie als Fußballerin erfolgreich: 2009 und 2013 hat sie mit dem deutschen Nationalteam die Fußball-Europameisterschaft gewonnen. Aber Celia Sasic hat nicht nur Fußball gespielt. Sie hat auch eine Ausbildung als Kauffrau für Marketingkommunikation gemacht und Kulturwissenschaft studiert. 2015 hat sie ihre Fußballkarriere beendet.

WORDS

schon	*already*
als Kind	*as a child*
mit nur fünf Jahren	*when she was just five years old*
erfolgreich	*successful*

WORDS

• Fußball-Europameisterschaft, -en	*European Championship*
gewinnen, hat gewonnen	*to win*
• Kulturwissenschaft, -en	*cultural studies*
beenden	*to end*

15 Gut aussprechen: Nicht betontes *e* (2)

5.09 **Listen and repeat. Be careful with the letters marked in blue!**

Zuerst habe ich eine Ausbildung als Bankkaufmann gemacht.
Dann habe ich drei Jahre als Bankkaufmann gearbeitet.
Mein Beruf hat mir gefallen.
Die Bezahlung war gut: Ich habe 2 500 Euro verdient.
Dann habe ich ein BWL-Studium begonnen.
Heute arbeite ich als Controller bei einer internationalen Firma.

INFO

The letter **e** [ə] is also shortened in the syllables **ge-** and **be-**.

WORDS

• Bezahlung	*payment*
verdienen	*to earn*
• Praktikum, Praktika	*internship*

16 Schreiben

What's your career history so far? Choose suitable sentences and write a short text.

Ich habe eine Ausbildung als ... gemacht. Ich habe ein Praktikum bei ... (*name of company*) gemacht. Ich habe ... (*name of degree*) studiert. Ich habe ... Jahre als ... gearbeitet. Heute arbeite ich als ... bei ... (*name of company*). Meine Ausbildung / Mein Studium / Mein Beruf hat mir (nicht) gefallen.

Zuerst habe ich eine Ausbildung als Krankenschwester gemacht.
Dann/Danach habe ich ... Später ... Schließlich ... Heute ...

17 Wörter und Wendungen

jed-, letzt- and **nächst-** change their ending according to the noun that follows them:
• jeden Dienstag • letztes Wochenende • nächste Woche

Translate into German.

1 every year ______	**2** last year ______	**3** next year ______
4 every month ______	**5** last month ______	**6** next month ______
7 every week ______	**8** last week ______	**9** next week ______
10 today ______	**11** yesterday ______	**12** tomorrow ______

18 Grammatik: Die Verben im Perfekt

The **Perfekt** is the past tense used in every-day spoken German. It is also used in every-day written German for private and often for business letters, e-mails and text messages. The **Perfekt** is formed with the verbs **haben** or **sein** and the **Partizip Perfekt**.

Most verbs form the **Perfekt** with **haben**. Verbs that show movement to or from a place (**klettern, laufen, gehen, fahren ...**) take the verb **sein**.

	putzen	**klettern**
ich	**habe** geputzt	**bin** geklettert
du	**hast** geputzt	**bist** geklettert
er/es/sie	**hat** geputzt	**ist** geklettert
wir	**haben** geputzt	**sind** geklettert
ihr	**habt** geputzt	**seid** geklettert
sie/Sie	**haben** geputzt	**sind** geklettert

The **Partizip Perfekt** is formed as follows:

> regular verbs: **ge** + present tense in 3rd person singular.
Jan putzt. → Jan hat **geputzt**.

> verbs beginning with **be-, ver-** or verbs ending in **-ieren**: no **ge-**!
Sarah besucht Annika. → Sarah hat Annika **besucht**.
Ich verdiene 2500 Euro. → Ich habe 2500 Euro **verdient**.
Jan studiert. → Jan hat **studiert**.

> Irregular verbs mostly end in **-en**. As the vowel in the middle can change and there are also mixed forms, it's best if you learn the **Partizip Perfekt** by heart. The list of irregular verbs in the Companion will help you.
Jan schläft. → Jan hat **geschlafen**.
Jan schreibt. → Jan hat **geschrieben**.

19 Grammatik: Wortstellung

In sentences with two verbs and in compound tenses like the **Perfekt**, the second verb or the second part of the compound go at the end of the sentence.

Jan **geht** jeden Samstag **einkaufen**.

Jan **hat** gestern Wäsche **gewaschen**.

20 Üben

Haben or _sein_? Fill in the correct form.

Am Samstag __________ (1) wir den Haushalt gemacht: Maria __________ (2) Wäsche gewaschen und geputzt. Ich __________ (3) einkaufen gegangen. Am Nachmittag __________ (4) ich unsere Fahrräder geputzt. Am Sonntag __________ (5) wir zuerst lange gefrühstückt. Dann __________ (6) wir Fahrrad gefahren.

21 Üben

Write the sentences with _gestern_.

1 Jan grillt Fisch. _Jan hat gestern Fisch gegrillt._
2 Jan lernt für die Universität. __________
3 Jan arbeitet. __________
4 Jan läuft 10 Kilometer. __________
5 Jan geht ins Fitnessstudio. __________
6 Jan telefoniert viel. __________

22 Grammatik: Das Verb *sein* in der Vergangenheit

The **Perfekt** form of the verb **sein** is **sein + gewesen** (**Jan ist am Wochenende faul gewesen.**). The **Perfekt** form of **sein** is used in southern Germany, Austria and Switzerland, particularly in spoken German. Generally, however, a different past form of **sein** is used – the **Präteritum**: **Jan war am Wochenende faul.** The different forms of **sein** in **Präteritum** are:

	Präsens	Präteritum
ich	bin	**war**
du	bist	**warst**
er/es/sie	ist	**war**
wir	sind	**waren**
ihr	seid	**wart**
sie/Sie	sind	**waren**

23 Üben

Fill in _war-_.

1 Wer _war_ am Wochenende fleißig? – Ich!
2 Wo __________ du gestern? – Ich __________ im Theater.
3 Wann __________ ihr in der Schweiz? – Letzte Woche.
4 Mara und Lara __________ am Wochenende nicht zu Hause. Mara __________ in Berlin und Lara __________ in Hamburg.

5 Making friends

"The Germans are rather distant. In the eight months that I've been here not one player has invited me home for a meal," Italian football player Ciro Immobile complained in an interview about his German colleagues in football club Borussia Dortmund. How much truth is in that? Imagine two colleagues that have been going to lunch together every day for 25 years.

How do they behave?

A ☐ They use the informal **du** form but never meet outside the office.

B ☐ They use the informal **du** form and occasionally meet up for a beer after work or at the weekend.

C ☐ They use the formal **Sie** form and wouldn't dream of meeting up outside the office.

If they're under the age of 50, option A will often be the right answer. However, option C is not at all rare for the older generation. And what about option B, which is what Ciro Immobile had hoped for? Well, only members of very young teams might get together in their free time. Many Germans separate work and their private life. So if you ask a colleague round for a barbecue at the weekend, you do so at your own risk. How do you make friends in Germany? Well, do you play football or a musical instrument? Do you grow orchids or are you involved in the protection of bees? Do you enjoy watching old Hollywood films or having barbecues? Then join a club. From the Asian Culture Club to the Barbecue Club or the many sports and animal-protection clubs, there's hardly any activity that doesn't have its own club in Germany. You can pursue your hobby and the – generally not at all distant – German friends are thrown in for free.

And as for Borussia Dortmund – following Ciro Immobile's interview there was a comment from the manager and a lot of soul searching and by all accounts, at least one player hurdled the intercultural barrier and invited Immobile round for a meal.

6 Familie und Freunde

In this unit you will learn to talk about your family and friends:

> giving information about family and friends
> giving your own family status
> saying how old you are
> describing someone's appearance and characteristics

Ich habe einen Bruder und eine Schwester.

1 Wörter entdecken: Familie

Which family member is which? Try to match the German and the English words.

• Bruder, ¨ • Großmutter, ¨ ~~• Großvater, ¨~~ • Mutter, ¨ • Onkel, - • Schwester, -n
• Sohn, ¨e • Tante, -n • Tochter, ¨ • Vater, ¨

1 *my grandfather* mein Großvater
2 *my grandmother* meine ______
3 *my father* mein ______
4 *my mother* meine ______
5 *my brother* ______
6 *my sister* ______
7 *my son* ______
8 *my daughter* ______
9 *my uncle* ______
10 *my aunt* ______

INFO

Ein Mann is a man. But by **mein Mann** a woman means her husband. A man refers to his wife as **meine Frau**. With **ein Freund / eine Freundin (von mir)** you're just good friends. But by saying **mein Freund / meine Freundin** unmarried couples mean their partners. Older people talk about **mein Partner/Lebensgefährte** or **meine Partnerin/Lebensgefährtin**.

2 Hören

▶ 6.01 **a What questions do you hear? Mark with crosses.**

☐ Wie heißen deine Eltern? — *What are your parents called?*
☐ Hast du Geschwister? — *Have you got any siblings?*
☐ Wie viele Cousinen und Cousins hast du? — *How many cousins have you got?*
☐ Bist du verheiratet? — *Are you married?*
☐ Hast du Kinder? — *Have you got any children?*
☐ Und wie alt ist dein Sohn? — *And how old is your son?*

WORDS

• / • Verwandte, -n — *relative*
ledig — *unmarried*

b Listen again. Match the statements to the right person and write: C = Cristian, L = Lena, A = Aura.

C 1 Ich habe einen Bruder und eine Schwester.
__ 2 Ich bin ledig und Single.
__ 3 Ich habe viele Verwandte.
__ 4 Mein Sohn ist zwei Jahre alt.

3 Sprechen

▶ 6.02 **Listen to the questions and react with information about yourself. You will then hear two example answers by Aura and Lena.**

4 Gut aussprechen: Vokalisches *r*

▶ 6.03 **a Listen and repeat. Notice the letters marked in blue.**

Mutter – Vater – Eltern – Geschwister –
Bruder – Schwester – Kinder – Tochter –
Verwandte – verheiratet

INFO

In **ver-** and **-er / er-** the letter **r** is not pronounced (except in Switzerland). Pronounce it as a vowel that sounds almost like **a** [ɐ]. The letter **r** is also silent after long vowels like in the word **Uhr** or **Vorstellung** (*performance*). It's pronounced more like "ua", "oa" etc.

▶ 6.04 **b Listen and mark where the letter *r* is not pronounced. Then read the text out loud yourself.**

Mein Vater ist Schauspieler von Beruf. Er arbeitet am Theater. Jeden Morgen lernt er seine Rollen. Am Nachmittag geht er spazieren oder schläft. Um 18 Uhr fährt er zum Theater. Und um 20 Uhr beginnt die Vorstellung. Mein Vater kommt meistens sehr spät nach Hause.

5 Richtig schreiben: Vokalisches *r*

▶ 6.05 **Listen and fill in the missing letters.**

Mario ist 25 Jah___e alt. ___ kommt aus B___emen. ___ ist nicht v___hei___atet, ab___ ___ hat eine F___eundin. Sie studie___en zusammen an d___ Unive___sität in B___lin. Ma___io hat zwei B___üd___: Pet___ und ___obin. Pet___ ist Musik___, ___obin ist Leh___ von Be___uf.

6 Lesen

Do you know these Hollywood film stars? And did you know that they have German roots? Look them up on the internet and fill in the information.

Deutschland | Großmutter | Mutter | Mutter | Österreich | USA | Vater | Verwandten

1 Sandra Bullocks ______________ kommt aus Deutschland. Als Kind hat die Schauspielerin in Deutschland und ______________ gelebt.

2 Auch Leonardo DiCaprios ______________ ist Deutsche. Der Schauspieler hat oft seine ______________ Helene in Deutschland besucht.

3 Bruce Willis ist in ______________ geboren. Er hat zwei Jahre in Rheinland-Pfalz gelebt. Dann ist die Familie in die ______________ gegangen.

4 Kirsten Dunsts ______________ ist aus Hamburg. Die Schauspielerin besucht gern ihre ______________ dort und hat seit 2011 einen deutschen Pass.

WORDS

leben	*to live*
geboren sein	*to be born*
seit 2011	*since 2011*
• Pass, ¨-e	*passport*

7 Lesen

a Who is speaking about whom? Draw lines to match two photos.

Ich bin in Deutschland geboren. Ich bin Deutsche. Aber mein Vater kommt aus Ghana. Ich spreche mit meiner Mutter Deutsch, mit meinem Vater Englisch. Mein Vater spricht aber auch sehr gut Deutsch.

Ich war lange Single. Aber jetzt habe ich eine Freundin. Sie ist die Beste! Ich habe sie gesehen und gedacht: Wow! Sie ist die perfekte Frau für mich.

Ich bin Single, denn ich bin viel unterwegs. Im Moment arbeite ich in Ghana. Natürlich habe ich Verwandte in Deutschland: meinen Bruder Frank, seine Frau und seine Kinder.

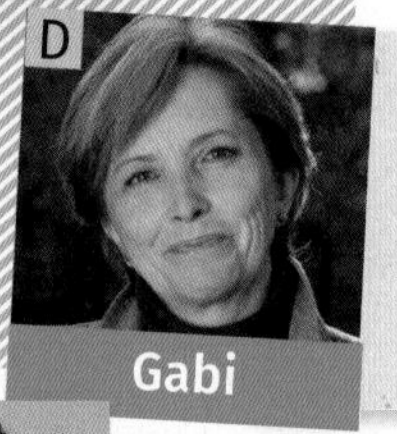

Ich lebe jetzt allein, denn mein Mann ist nach Ghana zurückgegangen. Ich habe keinen Kontakt mehr mit ihm. Und meine Tochter lebt in Berlin. Sie studiert dort Medizin. Ich telefoniere oft mit ihr.

Mein Onkel ist viel unterwegs. Er ist Arzt und arbeitet bei *Ärzte ohne Grenzen*. Ich vermisse ihn sehr. Ich skype oft mit ihm. Ich möchte auch Medizin studieren.

Ich bin nicht verheiratet, aber ich habe einen Freund. Ich kenne ihn noch nicht lange. Aber er hat schon nach dem ersten Date gesagt: Ich liebe dich.

WORDS

sprechen, spricht, hat gesprochen	*to speak*
sehen, sieht, hat gesehen	*to see*
denken, hat gedacht	*to think*
denn	*because*
unterwegs sein	*to be away*
allein	*alone*

WORDS

zurückgehen, ist zurückgegangen	*to go back*
vermissen	*to miss*
kennen, hat gekannt	*to know*
noch nicht	*not yet*
nach dem ersten Date	*after the first date*
sagen	*to say*

b What's right, what's wrong? Read a again and mark with crosses.

	richtig	falsch
1 Melissa spricht mit ihren Eltern Deutsch.	☐	☐
2 Florian liebt seine Freundin sehr.	☐	☐
3 Norbert lebt nicht in Deutschland.	☐	☐
4 Gabis Mann lebt in Ghana.	☐	☐
5 Felix ist Arzt von Beruf.	☐	☐
6 Julia ist ledig.	☐	☐

8 Üben: *mit*

Fill in.

1 Melissa spricht mit ihr_____ Mutter Deutsch, mit ihr_____ Vater Englisch.
2 Felix skypt oft mit sein_____ Onkel.
3 Gabi telefoniert oft mit ihr_____ Tochter.

INFO
mit
- mein**em** Vater / **ihm**
- mein**em** Kind / **ihm**
- mein**er** Mutter / **ihr**
- mein**en** Eltern / **ihnen**

9 Sprechen

▶ 6.06 **Listen to the questions and react with *Ja*. You will then hear the right answer. Listen to an example first.**

- Skypst du oft mit deinen Eltern?
- Ja, ich skype ziemlich oft mit ihnen.

WORDS
ziemlich *quite*

10 Über mich

What languages do you speak? What languages do your relations speak? Who do you talk to in a foreign language? Fill in some examples. If necessary, use a dictionary.

1 Ich spreche ______________________________ und ein bisschen Deutsch.
2 Mein ________________ spricht ______________________________.
3 Meine ________________ spricht ______________________________.
4 Mit ________________________ spreche ich ____________________.

WORDS
ein bisschen *a little*

INFO
Names of languages usually end in **-isch**: **Englisch**, **Französisch**, **Spanisch**, **Arabisch**, **Russisch** ... Exception: **Deutsch**. Languages are spelled with a capital letter.

11 Grammatik entdecken: *mich, dich, ihn ...*

Can you remember what Julia and Florian said in exercise 7? Who is meant here? Fill in the names.

1 Julia ist die Beste! Ich habe sie (*Julia*) gesehen und gedacht: Wow! Sie ist die perfekte Frau für mich (________).

2 Ich habe einen Freund. Ich kenne ihn (________) noch nicht lange. Aber er hat schon nach dem ersten Date gesagt: Ich liebe dich (________).

INFO

When an already named person or thing is used as a direct object, you can replace the term used to identify them with:

mich	*me*	**uns**	*us*
dich	*you*	**euch**	*you*
ihn/es/sie	*him/it/her*	**sie/Sie**	*they/you (polite form)*

12 Üben: *mich, dich, ihn ...*

▶ 6.07 **Fill in the missing word. Then listen and compare your answers.**

- Wer ist das? Deine Großeltern?
- Genau. Das sind meine Großeltern. Ich sehe ________ leider nicht oft, denn sie leben in Hamburg.
- Vermisst du ________?
- Ja, sehr. Weißt du, meine Mutter hat *mich* mit 19 Jahren bekommen. Ich war als Kind oft bei meinen Großeltern. Das war so schön. Mein Opa hat mit mir gespielt, meine Oma hat für ________ mein Lieblingsessen gekocht.
- Besuchen sie ________ manchmal?
- Nein, sie sind zu alt. Aber ich fahre nächstes Wochenende nach Hamburg und besuche ________. Und du? Besuchst du deine Großeltern oft?
- Nein. Sie sind schon tot. Mein Opa ist vor meiner Geburt gestorben. Ich habe ________ nicht gekannt.
- Oh, das tut mir leid.
- Kein Problem. Meine Oma habe ich gekannt. Ich war oft bei ihr und es war immer sehr schön.

WORDS

Genau.	*Exactly.*
(ein Kind) bekommen, hat bekommen	*to have (a baby)*
bei meinen Großeltern	*at my grandparents'*
• Opa, -s	*grandfather*
• Oma, -s	*grandmother*

WORDS

zu alt	*too old*
tot	*dead*
vor meiner Geburt	*before I was born*
sterben, stirbt, ist gestorben	*to die*

13 Schreiben

Write about a member of your family by answering the questions.

1 Wie heißt die Person und wo lebt sie?
2 Sehen Sie die Person oft? Vermissen Sie sie?
3 Wie alt ist sie?
4 Ist sie ledig, verheiratet, getrennt lebend, geschieden?
5 Hat sie Kinder?

Meine Tante Lisa lebt in Köln. Ich sehe sie oft, denn ich lebe auch in Köln. Meine Tante ist 57 Jahre alt und geschieden. Sie hat drei Kinder: meinen Cousin Robert und meine Cousinen Manuela und Jana.

WORDS

getrennt lebend	*separated*
geschieden	*divorced*

14 Wörter entdecken: Aussehen und Eigenschaften

a **What do you think? Which word goes with which figure? Match the words and the people.**

alt | dick | dünn | faul | groß | ~~hässlich~~ | intelligent | jung | klein | sportlich

A

____
____

B

____
____
____

C

hässlich
____

D

____
____
____

WORDS

dick	*fat*
dünn	*thin*
groß	*tall*
hässlich	*ugly*
klein	*small*
hübsch	*pretty*
dumm	*stupid*

b **What's the opposite? Match the words from a to the words below.**

1 hübsch – hässlich
2 jung – _______________
3 dumm – _______________
4 groß – _______________
5 dick – _______________
6 fleißig – _______________

15 Hören und Lesen

▶ 6.08 **a What's right? Listen and read. Mark with crosses.**

1 Mara ist	☐ groß.	☐ alt.	☐ hübsch.
2 Emily ist	☐ faul.	☐ sportlich.	☐ gut in Sprachen.

- Guck mal! Das ist meine beste Freundin Mara.
- Wow. Sie ist ziemlich groß, oder?
- Ja. 1,85 Meter. Ich bin kleiner. Aber ich bin älter. Mara ist sechs Monate jünger als ich. Und sie ist viel hübscher als ich.
- Quatsch. Du bist genauso hübsch wie sie. Nein – du bist nicht genauso hübsch, sondern du bist hübscher.
- Danke für das Kompliment. Wie heißt denn deine beste Freundin?
- Emily. Hier ist ein Foto von ihr.
- Sympathisch! Sie ist ziemlich sportlich, oder?
- Das ist sie. Ich bin nicht so sportlich wie sie. Ich bin aber besser in Sprachen als Emily.

WORDS

• Sprache, -n	*language*
Guck mal!	*Look!*
..., oder?	*..., isn't she?*
Quatsch!	*Rubbish!*
sondern	*but rather*

b Fill in the forms from exercise a.

1	______	größer
2	klein	______
3	alt	______
4	jung	______
5	______	hübscher
6	______	sportlicher
7	gut	______

INFO

For people or things that are the same, **(genau)so ... wie** is used:
Du bist **genauso** hübsch **wie** sie.

For two people or things that are different, use **nicht so ... wie** or add **-er** to the adjective followed by **als**:
Ich bin **nicht so** hübsch **wie** sie.
Sie ist hübsch**er als** ich.

Notice: There are some irregular forms as **ä**lt**er** (alt), **besser** (gut).

16 Üben: *älter, jünger ...*

Have you heard of the two most famous German poets, Goethe and Schiller? Compare them and write as many sentences as possible.

Johann Wolfgang von Goethe, geboren 1749, 1,74 m groß, dick, intelligent

Friedrich Schiller, geboren 1759, 1,90 m groß, dünn, intelligent

Goethe war älter als Schiller. -> Schiller war jünger als Goethe.

INFO

Did you know that Goethe couldn't stand Schiller at first? They later became very good friends.

17 Schreiben

▶ 6.09 **Marc Johnson is new at the company. Fill the personnel record in for him. Then listen to the conversation between Marc and the personnel manager and compare.**

01.04.1992 | 65189 Wiesbaden | 01510 – 17 42 9 | Britisch | DEUTSPAXXX | Hessische Bank | DE68 3007 0010 0078 8797 | ~~ledig~~ | Johnson | Marc | m-j@ge-mail.netz | Oxford, England | Programmierer | keine Kinder | Studium Informatik | Zeppelinstraße 18

PERSONALBOGEN

Personalnummer: ____________________
(wird von Personalabteilung ausgefüllt)

Persönliche Angaben

Name

Vorname

Geburtsdatum

Geburtsort

Nationalität

Familienstand *ledig*

Kinder ☐ Ja, _____ Kind(er) ☐ Nein

Adresse und Kontakt

Straße / Hausnummer

Postleitzahl / Ort

Telefonnummer

E-Mail-Adresse

Bankverbindung

Name der Bank

IBAN

BIC

Ausbildung und Beruf

Ausbildung

Beruf

WORDS

persönliche • Angaben	*personal details*
• Geburtsdatum	*date of birth*
• Geburtsort	*place of birth*
• Familienstand	*marital status*
• Bankverbindung, -en	*bank details*

INFO

Years until 1999 are given like this: **neunzehnhundert-neunundneunzig**. So, if you were born in 1987, you would say: **neunzehnhundertsiebenundachtzig**. For years from 2000, the usual thing to say is: **zweitausend, zweitausendeins ... zweitausendneun ...**

18 Wörter und Wendungen

Your words: which family members do you want to know in German? Make a note of them.

German	English	German	English
die Mutter			

19 Grammatik: Die Akkusativpronomen

Pronouns substitute people or things that have already been mentioned.
The pronouns for the accusative form are:

Subject pronouns	Object pronouns: accusative
ich	**mich**
du	**dich**
er/es/sie	**ihn/es/sie**
wir	**uns**
ihr	**euch**
sie/Sie	**sie/Sie**

Remember that the accusative must also be used after **für** and **ohne**: **für/ohne mich, dich ...**

20 Üben

Fill in the pronouns.

Paul hat jetzt einen Hund. Er liebt _ihn_ (1) sehr. Paul hat auch eine Freundin. Das Problem ist: Der Hund mag ________ (2) nicht. Pauls Freundin sagt: „Du liebst ________ (3) nicht." Aber Paul sagt: „Ich liebe ________ (4) und ich liebe meinen Hund. Ich liebe ________ (5) zwei! Du bist die perfekte Frau für ________ (6). Ohne ________ (7) möchte ich nicht leben."

21 Grammatik: Die Präpositionen *bei, mit, von* + Dativ

The prepositions **bei, mit** and **von** take the dative form:
Gabi telefoniert oft **mit** ihr**er** Tochter.
Meine Oma habe ich gekannt. Ich war oft **bei ihr.**
Meine Freundin? Hier ist ein Foto **von ihr.**

You learned the dative pronouns in Unit 4. Here are the dative forms of articles:

- **dem**/ein**em**/kein**em**/mein**em** Mann
- **dem**/ein**em**/kein**em**/mein**em** Kind
- **der**/ein**er**/kein**er**/mein**er** Frau
- **den**/–/kein**en**/mein**en** Eltern

Notice: in the plural form, the letter **-n** is added to the noun (**mit den Kindern**), except when the plural form of the noun ends in **-s (mit den Opas)**.
The short forms **beim** and **vom** are usually used instead of **bei dem** and **von dem**.

22 Grammatik: Komparativ

To highlight the difference between people or things, add **-er** to the adjective and follow it with **als**.
Meine Oma ist sportlich**er als** meine Mutter! *(My grandmother's sportier than my mother!)*
In adjectives with one syllable **a, o, u** often become **ä, ö, ü**:
Goethe war **ält**er **als** Schiller. Schiller war j**ü**ng**er als** Goethe.
The ending **-er** is also added to adjectives with more than one syllable. Make sure you don't get confused and use the English form: "~~mehr intelligent~~" → intelligent**er**
Some adjectives have an irregular form: gern → **lieber** gut → **besser** viel → **mehr**
When people and things are the same, **(genau)so ... wie** is used:
Du bist **genauso** hübsch **wie** deine Freundin.

23 Üben

The same (=) or different (+)? Fill in the sentences.

1 Willi ist größer (groß +) als Billy.
2 Er ist ______ (alt =) ______ Billy.
3 Er ist ______ (fleißig +) ______ Billy.
4 Er ist ______ (sportlich +) ______ Billy.

24 Grammatik: Wortstellung nach *aber, denn, und, oder, sondern*

In Unit 2 you learned that in a statement the verb goes in 2nd position: **Natürlich habe ich Verwandte in Deutschland.** The words **aber, denn, oder, und** as well as **sondern** connect two sentences and act as a link between them. These are the only conjunctions where the subject still goes before the verb!
Ich bin Deutsche. **Aber** mein Vater **kommt** aus Ghana.
Ich bin Single, **denn** ich **bin** viel unterwegs.
Mein Onkel ist Arzt **und** (er) arbeitet bei *Ärzte ohne Grenzen.*
Du bist nicht genauso hübsch, **sondern** (du bist) hübscher.
You need a full stop or a comma before **aber** and **denn**. You need a comma before **sondern**.
If you have the same subject in both sentences, you don't need to repeat it when using **und** and **oder**. Parts of the sentence which are the same can also be left out when using **sondern**.

25 Üben

Fill in the sentences.

1 Wir sehen unsere Schwester nicht oft, denn sie lebt in Kalifornien.
(sie – in Kalifornien – lebt – denn)
2 Sie spricht fast immer Englisch, ______
(sie – aber – spricht – auch – Deutsch).
3 Mit ihrem Mann spricht sie Englisch ______
(und – spricht – sie – mit ihrem Sohn – Deutsch).

6 Till death do us part

Alone in a lighthouse, under water or on a parachute jump – what are these couples doing? Spot-on – they're in the process of getting married. If a couple decides to get married in Germany, there are several things to think about. The most important decision is – shall we get married once or twice? Yes, you read that right ...
Marriage by a representative of the state is mandatory. Both partners sign a document that is kept by the state and that's it. That's all you need to do to get married. However, many couples want the blessing of their respective religious communities and that's when the second wedding comes into play. They get married a second time with a lavish ceremony including a great celebration, this time following the rules of their respective religion. There's only one condition – the religious ceremony must never take place before the civil one. And what do couples do if they're not religious, don't want a big celebration or just want to remember their wedding as an unusual event? Well, those are the ones that get married in a lighthouse or, in extreme cases, under water or during a parachute jump. Their only problem then is finding a registrar who can dive or fly.
Incidentally – both partners can agree on a common surname but they don't have to.
It can be the woman's or the man's surname. Traditionally, the woman drops her surname and takes her husband's. So, a Frau Müller becomes a Frau Lüdenscheidt, for example. Double-barrelled surnames have also been allowed for several decades now. Or each partner can just keep their own name. And that's why you find married couples in Germany nowadays who are both called Müller or both called Lüdenscheidt or Frau Müller and Herr Lüdenscheidt or Frau Müller-Lüdenscheidt and Herr Lüdenscheidt or Frau Müller and Herr Lüdenscheidt-Müller. The only limitation is that no surname can have more than one hyphen ...

7 Hier wohne ich!

In this unit you will learn to talk about your home and where you prefer to live:

> talking about your priorities as regards your home
> describing type, location and sort of home
> describing rooms and furniture
> understanding advertisements for homes

7 Ich lebe auf dem Land.

1 Lesen

Where do Andi and Iris like living? Read and write down which photo matches whose preferences.

WORDS	
auf dem Land	*in the country*
ruhig	*quiet*
es gibt	*there is/are*
trotzdem	*in spite of that*
• Nachbar, -n	*neighbour*
in der Stadt	*in a city*
• Leben, -	*life*
teuer	*expensive*
deshalb	*that's why*

A

B

Auf dem Land ist es ruhiger: Es gibt nicht so viele Autos, nicht so viel Stress. Okay, es gibt nicht so viele Restaurants und Theater. Vielleicht ist es ein bisschen langweiliger. Trotzdem lebe ich lieber auf dem Land, denn ich mag die Natur. Und ich kenne meine Nachbarn. Das gefällt mir.

Andi ☐

In der Stadt ist das Leben teuer. Aber es gibt natürlich bessere Jobs. Positiv sind auch die vielen Restaurants und Theater und die guten Ärzte. Ich möchte nicht alle Nachbarn kennen. Deshalb lebe ich lieber in der Stadt.

Iris ☐

2 Sprechen

a Which statements do you agree with? Mark with crosses.

		In der Stadt ...	Auf dem Land ...
1	... ist es langweiliger.	☐	☐
2	... gibt es viele Restaurants, Theater und gute Ärzte.	☐	☐
3	... gibt es viel Natur.	☐	☐
4	... ist es teurer.	☐	☐
5	... ist es ruhiger.	☐	☐
6	... gibt es bessere Jobs.	☐	☐

▶ 7.01 **b Answer the question with your personal answers from exercise a. Say also where you prefer to live: in a city or in the country. Use *deshalb* or *trotzdem*. You will then hear Andi and Iris's opinions.**

INFO
Are you finding it too hard to speak spontaneously? Then listen to all the examples and the example answers first and give your own answers in the second round.

■ Leben Sie lieber in der Stadt oder auf dem Land?

■ ■ Auf dem Land ist es langweiliger.

■ Deshalb lebe ich lieber in der Stadt. ■ Trotzdem lebe ich lieber auf dem Land.

3 Hören

▶ 7.02 **a What do you think? Who lives in the country? Who lives in a city? Write down what you think. Then listen and compare.**

Elke: ____________ Sebastian: ____________ Alessia: ____________

b What rooms and features are there in the homes? Listen again and mark E = Elke, S = Sebastian und A = Alessia. Put a dash (---), when nobody has something.

Es gibt ...

1	eine Küche	*a kitchen*	E, S, A
2	ein Bad	*a bathroom*	______
3	ein extra WC	*a separate toilet*	______
4	ein Wohnzimmer	*a living room*	______
5	ein Schlafzimmer	*a bedroom*	______
6	zwei Kinderzimmer	*two children's bedrooms*	______
7	eine Terrasse	*a terrace*	______
8	einen Balkon	*a balcony*	______
9	einen Garten	*a garden*	______
10	einen Aufzug	*a lift*	______

INFO

After **es gibt** an accusative object is used:
Es gibt • ein**en** Garten.
There is a garden.
Es gibt • kein**en** Aufzug.
There isn't a lift.

4 Üben: Räume

What rooms are there in these homes? Write down your answers on a piece of paper.

WORDS

• Flur, -e	*corridor, landing*
• Garderobe, -n	*wardrobe*

______________________________ Es gibt einen Flur mit Garderobe,

______________________________ ______________________________

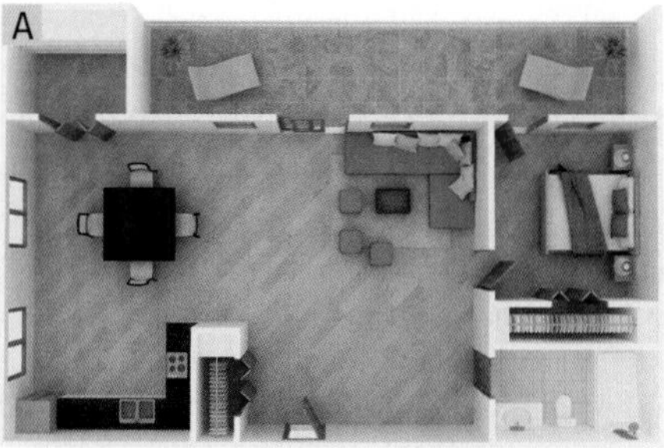

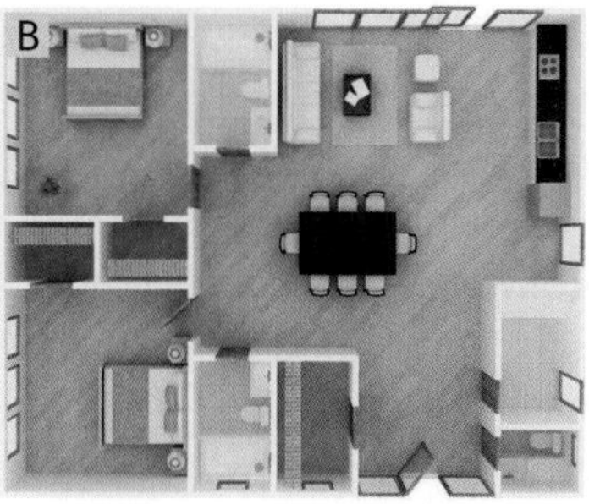

5 Lesen

Which sentences are right? Read and mark with crosses.

1 A ☐ Elke hat Familie.
B ☐ Der Garten ist ihr Lieblingsort.
C ☐ Das Haus ist klein.

2 A ☐ Sebastian wohnt in einem Haus mit vielen Wohnungen.
B ☐ Seine Wohnung hat fünf Zimmer.
C ☐ Er möchte eine Wohnung mit Aufzug.

3 A ☐ Alessia ist Studentin.
B ☐ Sie wohnt mit drei anderen Personen zusammen.
C ☐ Sie mag die Personen nicht.

WORDS

• Lieblingsort, -e	*favourite place*
wohnen	*to live*
• Wohnung, -en	*flat, apartment, home*
sitzen, hat/ist gesessen	*to sit*
• Mietshaus, ¨-er	*a block of rental flats*
im fünften Stock	*on the fifth floor*
Treppen steigen, ist gestiegen	*to climb stairs*
zum Glück	*luckily*
WG (= • Wohngemeinschaft), -s	*a shared flat*
finden, hat gefunden	*to find*
• Quadratmeter, -	*square metres*
teilen	*to share*
• Mitbewohner, -	*flatmate*
• Miete, -n	*the rent*

1 Elke Ich lebe auf dem Land. Mit meinem Mann Andi, unseren zwei Söhnen und unserem Hund Beppi wohne ich in einem Haus mit Terrasse und Garten. Ich liebe unsere Terrasse. Ich sitze gern dort und trinke ein Glas Wein. Die Kinder und der Hund spielen oft im Garten. Manchmal grillen wir mit den Nachbarn. Das Haus ist nicht groß. Es gibt einen Keller, das Erdgeschoss mit Wohnzimmer, Küche und WC. Und es gibt das Obergeschoss. Dort sind unser Schlafzimmer, zwei Kinderzimmer und ein Bad.

2 Sebastian Ich lebe in Berlin. Ich wohne in einem Mietshaus, in einer Zwei-Zimmer-Wohnung. Die Wohnung hat eine Küche, ein kleines Bad, ein Schlafzimmer und ein Wohnzimmer. Ich wohne im fünften Stock. Leider gibt es im Haus keinen Aufzug. Jeden Tag Treppen steigen – das ist nicht so schön. Deshalb suche ich eine Wohnung mit Aufzug.

3 Alessia Ich studiere in München. Wohnungen sind hier sehr teuer. Zum Glück habe ich ein Zimmer in einer WG gefunden. Dort schlafe und lerne ich. Das Zimmer ist ziemlich klein, es hat nur 12 Quadratmeter. Aber ich habe einen Balkon. Ich sitze oft dort. Die Küche und das Bad teile ich mit meinen drei Mitbewohnern. Und natürlich bezahlen wir die Miete zusammen. Meine Mitbewohner sind wirklich sympathisch. Trotzdem suche ich eine Wohnung für mich allein.

INFO

Wo ist …?
in München/Berlin/Österreich/Europa
• **im** / **in einem** Garten
• **im** / **in einem** Haus
• **in der** / **in einer** Wohnung
The short form **im** is usually used instead of **in dem**.

6 Üben: *in*

Where do the people live? Look at the pictures and fill in the sentences.

• der Wohnwagen

• das Schloss

• die Kleinstadt

• das Dorf

1 Die Zirkusartistin Jelena Lebedew wohnt *in einem Wohnwagen*.
2 Ein König wohnt in ______.
3 Familie Schulz lebt in ______.
4 Herr Bauer wohnt in ______.

WORDS
• König, -e *king*

7 Rätsel: Im Haus

Find out where the German rock musician Udo Lindenberg has lived for over 20 years. The coloured boxes will give you the answer.

1 In der ... kochen Sie.
2 Ich wohne im fünften ...
3 Ich steige nicht gern ..., deshalb nehme ich den Aufzug.
4 Im ... waschen Sie Wäsche oder haben Sie einen Hobbyraum.
5 Im ... gibt es meistens eine Garderobe.

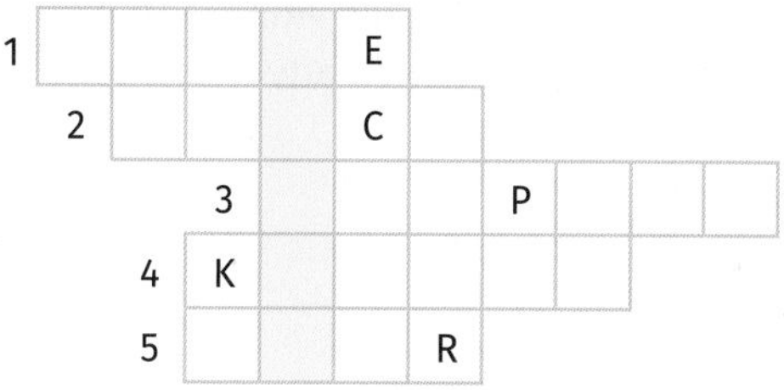

Udo Lindenberg wohnt in einem _ _ _ _ _ in Hamburg.

8 Hören und Schreiben

▶ 7.03 **a** **Elke's favourite place is the terrace. Now listen to other people saying what their favourite place in their houses or flat is. What favourite places are mentioned? Mark with crosses.**

☐ Küche ☐ Keller ☒ Garage ☐ Schlafzimmer
☐ Balkon ☐ Bad ☐ Dachgeschoss

b **What's your favourite place? Say what you like doing there or why you like being there and then say what it is.**

Ich ______.
Deshalb ist ______ mein Lieblingsort.

9 Lesen

a Read the advertisements and mark them in three colours. What rooms are there? (blue) How big is the flat? (green) How much does the flat cost per month? (red)

A

Kleine 1-Zi. -Wohnung, 33 m², Küche extra, Bad mit Dusche und WC in Garching bei München. Nur 20 Minuten zur Universität! 400 €, E-Mail: wohnung@maklerin.netz

B

DACHGESCHOSSWOHNUNG
im Zentrum von Karlsruhe, 95 m², 3 Zimmer, Wohnküche, Bad und extra WC, WG möglich; Miete 1.000 EUR, Nebenkosten 100 EUR (ohne Heizung). Die Wohnung ist im 4. Stock (kein Aufzug!), Tel. 22 89 22

C

Vermiete 2-Zi.-Whg. mit Balkon, ca. 60 m², 8. Stock (neuer Aufzug!), 465 € + 135 € (Nebenkosten) + 65 € (Heizung), Tel. 17 28 90

D

Berlin: 4 Zimmer, Küche, Bad, Balkon alles frisch renoviert, ruhige Lage, nur 930 Euro (inkl. NK und Hzg.), Tel. 48 08 33 21

b Do you remember Sebastian and Alessia in exercise 5? They're looking for a flat. Which advertisement (• *Anzeige*) suits them? Write it down.

Sebastian: Anzeige ______

Alessia: Anzeige ______

WORDS

• Dusche, -n	*shower*
• Nebenkosten (NK)	*utilities*
• Heizung, -en (Hzg.)	*heating*
vermieten	*to rent*
neu	*new(ly)*
• Lage, -n	*location*

10 Schreiben

Where and how do you live? Choose suitable words from the components below and fill in the sentences. Make sure you use the right endings.

auf dem Land | in der Stadt | • Haus mit Garten / • Mietshaus / • WG
allein / zusammen mit ... | (ziemlich / sehr / nicht) klein / groß
(ziemlich / sehr / nicht) teuer | • Küche / • Wohnzimmer / • Balkon / ...

Ich lebe ____________________.

Ich wohne in ____________________.

Dort wohne ich ____________________.

Die Wohnung / Das Haus ist ____________________.

In m*einer* Wohnung / mein____ Haus gibt es ____________________

____

____________________.

Leider gibt es kein____ ____________________.

11 Wörter entdecken: Im Zimmer

a **What are these things called in German? Find out by solving the puzzle. Each number stands for a letter of the alphabet. Tip: when you know a letter, fill it in everywhere it goes in the words. If you still can't find the answers, look a word up in a dictionary (but only one!).**

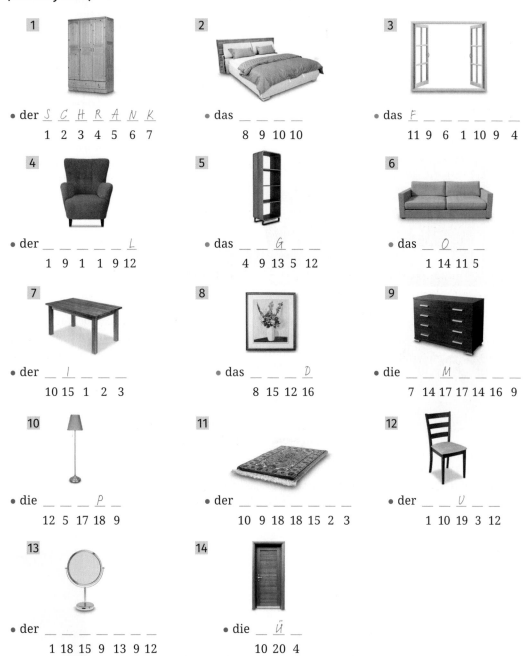

1

• der S C H R A N K
1 2 3 4 5 6 7

2

• das _ _ _ _
8 9 10 10

3

• das F _ _ _ _ _ _
11 9 6 1 10 9 4

4

• der _ _ _ _ _ L
1 9 1 1 9 12

5

• das _ _ G _ _
4 9 13 5 12

6

• das _ O _ _
1 14 11 5

7

• der _ I _ _ _
10 15 1 2 3

8

• das _ _ _ D
8 15 12 16

9

• die _ _ M _ _ _ _
7 14 17 17 14 16 9

10

• die _ _ _ P _
12 5 17 18 9

11

• der _ _ _ _ _ _ _
10 9 18 18 15 2 3

12

• der _ _ U _ _
1 10 19 3 12

13

• der _ _ _ _ _ _ _
1 18 15 9 13 9 12

14

• die _ Ü _
10 20 4

7.04 **b** **Listen, compare with your answers in a and repeat the words.**

12 Gut aussprechen und richtig schreiben: *s – sch – sp – st*

▶ 7.05 **Listen to the words and put them in the right column. Then listen again and repeat the words.**

Word with **s**	Word with **sch**	Word that starts with **sp**	Word that starts with **st**	Word with **st** in the middle
	Tisch			

INFO

For the sound [ʃ] write **sch**: **Tisch, Schrank**. This sound is the same as **sh** (*she*) in English or **ch** (*cher*) in French. At the beginning of a word you write **Sp** and **St** but you pronounce "Schp" [ʃp] and "Scht" [ʃt]: **Spiegel, Stadt**.

13 Lesen

Which photo goes with which text? Match them up.

A

B

☐

Der Komponist Wolfgang Amadeus Mozart (1756–1791) ist in Salzburg geboren. Seine Familie hat in der Getreidegasse 9 gewohnt, in einem gelben Haus. Das ist ein Zimmer im Haus: An der Wand steht eine Kommode. Ein Stuhl steht direkt vor der Kommode. Zwischen den Fenstern hängt ein Bild. Unter dem Bild steht ein Notenständer und neben dem Notenständer steht ein Stuhl. Auf dem Stuhl liegt eine Violine. Möchten Sie Mozarts Geburtshaus sehen? Kommen Sie nach Salzburg. Das Haus ist jeden Tag von 9.00 bis 17.30 Uhr geöffnet (www.mozarteum.at).

☐ Die Künstlerin Gabriele Münter (1877–1962) hatte ein Haus in Murnau. Zuerst hat sie mit Wassily Kandinsky dort gewohnt. Kandinsky war Russe. Deshalb heißt das Haus auch „Russenhaus". Das ist ein Zimmer im Haus: In der Ecke steht ein Tisch. Am Tisch stehen zwei Stühle. Auf dem Tisch steht eine Lampe. Über dem Tisch hängt noch eine Lampe. An den Wänden sind Bilder. Neben dem Tisch und den Stühlen ist ein Fenster. Möchten Sie das Russenhaus besuchen? Dann fahren Sie nach Murnau. Die Adresse ist Kottmüllerallee 6. Die Öffnungszeiten sind Dienstag bis Sonntag, von 14 bis 17 Uhr. Übrigens: Es gibt einen sehr schönen Garten vor dem Haus. Und hinter dem Haus stehen große Bäume.

WORDS

• Wand, ¨-e	*wall*
stehen, hat/ist gestanden	*to stand*
hängen, hat gehangen	*to hang*
• Notenständer, -	*music stand*
liegen, hat gelegen	*to lie*
• Künstlerin, -nen	*artist (female)*
er/sie hatte	*he/she had*
in der Ecke	*in the corner*
• Baum, ¨-e	*tree*

14 Grammatik entdecken: *an, auf, hinter …*

Read the texts in exercise 13 again. Mark all the words of place (What is where?) and write them down here.

1  an an der Wand, am Tisch, an den Wänden

2  auf ____________

3  über ____________

4  unter ____________

5  hinter ____________

6  vor ____________

7  neben ____________

8 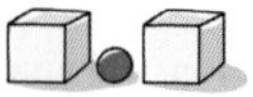 zwischen ____________

9  in ____________

INFO

Wo ist …?
auf • **dem** Tisch
unter • **dem** Bild
an • **der** Wand
an • **den** Wänd**en**
an dem is usually shortened to **am**.

15 Üben: *an, auf, hinter …*

What's where? Look at the picture and write sentences.

1 • Teppich – • Boden:
Der Teppich liegt auf dem Boden.

2 • Tisch – • Teppich:
____

3 • Sofa – • Wand:
____

4 • Bild – • Sofa:
____

5 • Tisch – • Sofa:
____
____

6 • Lampe – • Ecke:
____
____

WORDS

• Boden, ¨-e *floor*

INFO

Something's position can be given simply by using **sein** (*to be*).
In German, some different verbs are used to show specific positions:
liegen (*to lie*) describes a horizontal position:
Ein Teppich **liegt auf** dem Boden.
stehen (*to stand*) describes a straight, vertical position:
Vor dem Bett **steht** ein Sessel.
hängen (*to hang*) means, among other things, that something has been fixed at the top and is hanging freely at the bottom:
Ein Bild **hängt an** der Wand.

16 Wörter entdecken: Arbeitsorte

Where do people with these jobs work? Connect them and write sentences.

1 Ein Pilot	**a** am Theater
2 Ein Koch	**b** an einer Universität
3 Eine Schauspielerin	**c** in einem Restaurant
4 Ein Friseur	**d** bei BMW oder Siemens
5 Ein Industriemechaniker	**e** am Flughafen und im Flugzeug
6 Eine Physikprofessorin	**f** in einem Friseursalon

1. Ein Pilot arbeitet am Flughafen und im Flugzeug.
2. …

INFO

If you want to say where you work, you have to try to think "German". There are some places of work where we think mainly about the inside of the building where the job is located: **in einem Friseursalon/Restaurant** … If you're thinking more about a college or an institution, **an** sounds better: **an einer Schule/Universität** … This is also used a lot when the location is not (just) a building: **am Flughafen**. If you want to name your employer, you should use **bei**: **bei BMW/Siemens/ beim Flughafen**.

17 Üben

What do you think? What words do these people use when they say where they work? Write sentences following the example.

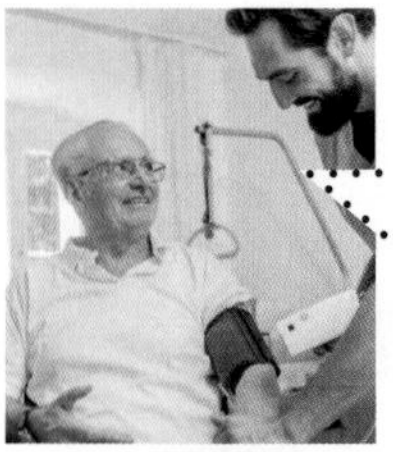

1 Ich bin Krankenpfleger

____

_______________ • Krankenhaus.

2 Ich bin Lehrerin

____

_______________ • Schule.

3 Ich bin Teamassistentin

____

_______________ • Büro.

4 Ich bin Kellner

____

_______________ • Café.

18 Über mich

And where do you work? Fill in. If necessary, use a dictionary.

Ich bin _______________ und arbeite _______________.

19 Grammatik: Das Verb *haben* in der Vergangenheit

As is the case with the verb **sein**, the **Präteritum** is the most commonly used past tense for **haben**. The different forms of **haben** in **Präteritum** are:

	Präsens	**Präteritum**
ich	habe	**hatte**
du	hast	**hattest**
er/es/sie	hat	**hatte**
wir	haben	**hatten**
ihr	habt	**hattet**
sie/Sie	haben	**hatten**

20 Üben

Fill in *hatt-*.

1 Der Komponist Mozart _hatte_ in seinem Leben viele Wohnorte.
2 ___________ du als Student ein Zimmer in einer WG?
3 Wir ___________ in unserer alten Wohnung keinen Balkon.
4 Schon König Ludwig II. ___________ in seinen Schlössern Aufzüge und WCs.

21 Grammatik: Lokale Präpositionen

In this unit you've learnt the prepositions **an**, **auf**, **hinter**, **in**, **neben**, **über**, **unter**, **vor** and **zwischen**.

They show something's position and are used in this particular way with the dative form.
neben • **dem/einem/meinem** Tisch
neben • **dem/einem/meinem** Bett
neben • **der/einer/ meiner** Lampe
neben • **den/--/meinen** Stühlen
For **an dem** and **in dem** the short forms **am** and **im** are usual. And not just when speaking but also in writing! However, forms such as **aufm, vorm** etc. are very informal and are unacceptable in writing.

22 Üben

Fill in the right endings.

Möchten Sie mein Wohnzimmer sehen? Ein blaues Sofa steht an d_er_ (1) Wand. Vor d_____ (2) Sofa steht ein Glastisch. Unter d_____ (3) Tisch ist ein Teppich. Über d_____ (4) Sofa hängt ein Bild. In ein_____ (5) Ecke steht ein Regal. Neben d_____ (6) Regal steht eine Kommode. Und über d_____ (7) Kommode hängt ein Spiegel.

7 Home sweet home

Are you thinking about building or buying a house in Germany? Are you sure? Then you should be able to answer the following question: In your opinion, what problems are people building houses and building contractors currently facing?

A ☐ extremely tough fire regulations
B ☐ extremely tough energy-saving regulations
C ☐ extremely tough waste separation rules

"Solid windows!" That was Angela Merkel's answer when a journalist asked her what springs to mind when she thinks of Germany. And German windows really are solid. No new buildings with less than triple-glazed windows, which are so well isolated they can easily keep an arctic winter at bay. Even houses in Germany have been wrapped up like a Greenlander in January for some years now. Whether it's with wood wool, rock wool or polystyrene, a "bare" house will only get a building permit in Germany if the walls are at least three palms thick. And that's despite polystyrene insulation being a real concern for the fire brigade. If there's a fire, the material melts and produces poisonous fumes – which in the fire brigade's opinion is a completely unnecessary risk.

Public buildings in particular have seen fire regulations increased to such an extent in the last few years that it now seems almost impossible to complete a building on schedule. And even if they do manage to get it finished, building costs have become so high because of the fire regulations that the building usually ends up looking completely unimaginative. Accordingly, "square, practical, good" is the current trend for German architecture.

And what about waste separation? You must have heard of it, it really does happen. Every German household separates glass, paper and general waste at the very least. Organic waste and plastic are often disposed of and recycled separately, too. But despite the rigid system, the regulations have never stopped anyone building a house.

8 Herzlichen Glückwunsch!

In this unit you will learn to talk about invitations and private arrangements:

> inviting someone to a party and talking about the preparations
> giving the date
> arranging to meet someone

8 Ich kann leider nicht kommen.

1 Lesen

a Read the invitation. What's right? Mark the answers.

1 Lea hat am Samstag Geburtstag.
☐ richtig ☐ falsch ☐ keine Information im Text

2 Lea feiert zu Hause.
☐ richtig ☐ falsch ☐ keine Information im Text

3 Die Party ist am Nachmittag.
☐ richtig ☐ falsch ☐ keine Information im Text

4 Lea wohnt in Hamburg.
☐ richtig ☐ falsch ☐ keine Information im Text

Liebe Freunde,
am Samstag, den 3. August, werde ich 30 Jahre alt und möchte Euch herzlich zu meiner Geburtstagsfeier einladen.
Wir feiern ab 19:00 Uhr bei mir zu Hause in der Rosenstraße 21.
Gebt bitte bis zum 15. Juli Bescheid, ob Ihr kommt.
Herzliche Grüße
Lea 16:48

INFO

The terms **du** and **ihr** are written in lower case (**Wann feierst du? Kommt ihr?**). In letters and e-mails, **du**, **ihr** and all other forms are often capitalised: **Ich möchte Dich/Euch zu meiner Geburtstagsfeier einladen.** It is also acceptable to use lower-case letters here.

WORDS

feiern	*to celebrate*
Liebe Freunde	*Dear friends*
werden, wird, ist geworden	*going to be / to turn (an age)*
• Geburtstagsfeier, -n	*birthday party*
einladen	*to invite*
Gebt bitte ... Bescheid, ob ihr kommt.	*Please let (me) know ... whether you can come.*
Herzliche Grüße	*Best wishes*
da sein	*to be there*

b Read the invitees' answers. Who's coming to Lea's birthday party? Mark with crosses.

☐ Niels

19:00 Uhr? Das passt gut. Ich kann am Nachmittag noch einkaufen und kann am Abend zu deiner Feier kommen. Niels 16:51

☐ Anna

Ich bin vom 2. bis 4. August in Zürich, deshalb kann ich leider nicht kommen. Trotzdem vielen Dank für die Einladung! Anna 17:05

☐ Mia und Lukas

Wir sind am Samstag bei Oma. Aber ab 20 Uhr können wir da sein. Mia und Lukas 17:43

☐ Sarah

Es tut mir sehr leid, aber ich arbeite im August immer am Wochenende. Du weißt: Ärzte ... ☺ Sarah 18:29

c Mark the different forms of *können* and the activities (verbs) in b and make a chart like this on a piece of paper.

	Verb 1		Verb 2
Ich	kann	am Nachmittag noch	einkaufen.

INFO

The word **können** expresses a possibility:
Ich **kann** nicht zu deiner Feier **kommen.**

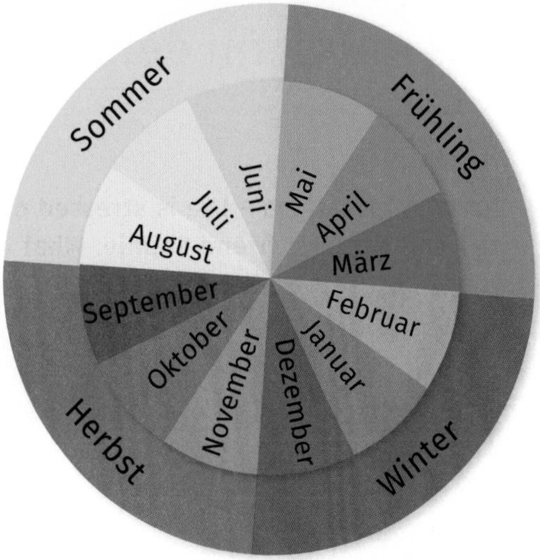

2 Hören

8.01 **a Whose birthday is first? Listen and put the names in chronological order (1–5).**

- [ ] Max ______
- [1] Julia *15. März 1990*
- [ ] Noah ______
- [ ] Marie ______
- [ ] Tobias ______

b When were the people born? Listen again and write each person's date of birth in exercise a.

3 Sprechen

8.02 **Listen to the questions and answer using the dates given. You will then hear the right answer. Listen to an example first.**

1 24.04. **2** 13.08. **3** 01.11. **4** 30.07.

- Wann sind Sie geboren?
- Am vierundzwanzigsten April.

INFO

Dates are written like this in German:
23. August 1988 or **23.8.1988**
You say the date (**das Datum**) like this:
1.–19. → Heute ist **der** er**ste** (zwei**te**, dri**tte**, vier**te**, fünf**te**, sechs**te**, sieb**te**, ach**te**, neun**te**, zehn**te** ... siebzehn**te** ... neunzehn**te**) Dezember.
ab 20. → Heute ist **der** zwanzig**ste** (einundzwanzig**ste** ... einunddreißig**ste**) Dezember.
And the question **Wann?** (*When?*) is answered like this: 1.–19. → **am** ers**ten** (zwei**ten**, drit**ten**, vier**ten**, fünf**ten**, sechs**ten**, sieb**ten**, ach**ten**, neun**ten**, zehn**ten** ... siebzehn**ten** ... neunzehn**ten**) Dezember
ab 20. → **am** zwanzig**sten** (einundzwanzig**sten** ... einunddreißig**sten**) Dezember

4 Schreiben

a Create the invitation by matching the right sentences.

Wir feiern ab 20:00 Uhr im Restaurant „Bunter Hund" in der Rheinstraße 4. | Liebe Freunde, | Bitte gebt mir bis zum 15. Oktober Bescheid, ob Ihr kommt. | Ich möchte Euch deshalb herzlich zu meiner Geburtstagsfeier einladen. | Viele Grüße | ~~am 1. November werde ich 25 Jahre alt.~~ | Emma

Anrede (*salutation*)	
Einladung (*invitation*)	*am 1. November werde ich 25 Jahre alt.*
Zeit und Ort (*time and place*)	
Bitte um Bestätigung (*request for confirmation*)	
Gruß (*close*)	
Name oder Unterschrift (*name or signature*)	

b Luka is going to be 27 years old on Friday 12th May. He's inviting his friends to the restaurant *Poseidon*. Time: 7.30 pm, restaurant address: Blumenstraße 95. Write Luka's invitation following the example in exercise a.

5 Hören

▶ 8.03 **a Party preparations – Lea is stressed out. Listen to the phone call between Lea and her best friend Sophie. What hasn't been done yet? Mark with crosses.**

☐ • Kuchen backen

☐ • Bad putzen

☐ • Getränke kaufen

☐ aufräumen

☐ • Essen vorbereiten

☐ • Wohnung dekorieren

b Which of the activities in exercise a is Lea going to do, which ones is Sophie going to do and what are they going to do together? Listen to the telephone conversation again and fill in.

Lea	Sophie	zusammen
		Essen vorbereiten

WORDS

Kommst du mit?	*Are you coming?*
zu tun haben	*to have (things) to do*
also	*well*
mitbringen, hat mitgebracht	*to bring along*

c Listen to the conversation again and fill in.

INFO

The word **müssen** expresses a need or an obligation.
Ich **muss** Getränke **kaufen**.
Wir **müssen** die Wohnung **aufräumen**.

- ▫ Hallo, Lea, wie geht's? Wir gehen morgen Nachmittag in die Stadt. Kommst du mit?
- ▪ Nein, tut mir leid, morgen kann ich nicht. In zwei Tagen ist meine Geburtstagsfeier – und ich habe noch so viel zu tun …
- ▫ Oje, das tut mir leid. Was musst du denn noch tun?
- ▪ Alles! Ich muss ______________________, ich muss noch ______________ und ______________________, ______________________ und ______________ muss ich auch noch ______________.
- ▫ Ach herrje! Also, ______________ kann ich gern ______________ – es ist ja dein Geburtstag! ______________ kann ich mitbringen, ______________ können wir zusammen dekorieren und ______________ kann ich auch ______________.
- ▪ Salat, Kuchen und Wohnung sind super, Sophie, aber ______________ musst du nicht ______________. Die habe ich schon gekauft.

INFO

Oje and **Ach herrje** are expressions of shock but also of sympathy.

6 Sprechen: Karaoke

▸ 8.04 **Listen and react by reading the answers out loud.**

- ...
- Ja, ich komme auch.
- ...
- Ich weiß nicht. Müssen wir etwas mitbringen?
- ...
- Klar, einen Salat kann ich mitbringen.
- ...
- Tschüs!

INFO

In Germany, it's usual to bring a salad or a dessert along to a (big) party, which means that the first thing you ask when getting an invitation is mostly: **Soll ich etwas mitbringen?** That's then enough to bring as a gift. However, if it's a birthday party, guests will generally still bring a small present. Popular presents are, for example, things you can do together, where the group then pays for the birthday boy or girl's ticket or meal etc.

7 Gut aussprechen: *o – ö, u – ü*

▸ 8.05 a **What can you hear: *o* or *ö*? *u* or *ü*? Mark with crosses.**

	o	ö		u	ü
1	☐	☐	**5**	☐	☐
2	☐	☐	**6**	☐	☐
3	☐	☐	**7**	☐	☐
4	☐	☐	**8**	☐	☐

▸ 8.06 b **What can you hear? Fill in *o*, *ö*, *u* or *ü*.**

1 ____m wie viel ____hr beginnt die Feier?	*What time does the party start?*
2 Gebt bitte Bescheid, ____b ihr k____mmen k____nnt.	*Please let me/us know if you can come.*
3 Alles G____te z____m Geb____rtstag!	*Happy Birthday!*
4 Herzlichen Gl____ckw____nsch!	*Happy Birthday / Congratulations!*
5 Ich w____nsche dir viel Gl____ck!	*All the best!*
6 Grat____lation zur bestandenen Pr____fung!	*Congratulations on passing your exam!*
7 Fr____he ____stern!	*Happy Easter!*
8 Fr____hliche Weihnachten!	*Merry Christmas!*

INFO

Having trouble with **ö**? Hold a pen in your mouth: when you say **o**, your tongue won't touch the pen. When you say **ö**, the back of your tongue will push the pen.
Having trouble with **ü**? Say "**iiiiii** ..." Make your lips round like when you say **u**: **i** will become **ü**!

8 Lesen

Read the posts and fill in the information.

1 Zu Leas Feier soll Liliana

______________________________.

2 In Japan muss ein Geschenk

______________________________.

3 Pietro kann nicht ______________________

und Geschenke ________________________.

4 Felicitas möchte Lea ________________

____________ schenken.

WORDS

• Geschenk, -e	*present*
schenken	*to give*
eigentlich	*actually/really*
niemand	*nobody*
jemand	*somebody*
toll	*great*
verpackt	*wrapped up*
• Beispiel, -e	*example*
sie möchte schon lange einmal	*she has been wanting (to go) for ages*
• Hafen, ¨	*port/harbour*
• Eintrittskarte, -n	*(entrance) ticket*

Leas Freunde *Liliana, Akiko, Pietro, Felicitas*

Geht ihr auch zur Geburtstagsfeier von Lea? Sophie hat gesagt, ich soll einen Salat mitbringen. Also, bei uns kommt eigentlich niemand ohne ein Geschenk. Soll ich trotzdem ein Geschenk kaufen? Wie ist das in Deutschland? Hat jemand eine Idee? Liliana 15:21

Zu einer Feier kannst du nicht ohne ein Geschenk kommen, oder? In Japan kommt niemand ohne Geschenk. Und toll verpackt muss es sein, am liebsten in Rot oder Gold. Hier ein Beispiel! Akiko 15:33

Wow, so toll kann ich ein Geschenk nicht verpacken. Und ich kann auch nicht kochen! Darf ich auch einfach Pralinen mitbringen? Pietro 16:45

Ein Salat oder ein Dessert ist wie ein Geschenk. Da müsst ihr nichts mehr mitbringen. Aber ich habe eine Idee: Lea möchte schon lange einmal zum Hamburger Hafengeburtstag. Warum fahren wir nicht zusammen nach Hamburg? Wir schenken Lea die Eintrittskarte zum Hafengeburtstag und haben alle Spaß. Felicitas 17:03

INFO

The word **sollen** means that someone has asked you to do something.
Ich **soll** einen Salat **mitbringen**.
The word **dürfen** expresses permission, **nicht dürfen** means something must not be done.
Darf ich meinen Freund **mitbringen**?
Wir **dürfen nicht** ohne ein Geschenk **kommen**.

INFO

Wohin (*Where (to)*) gehen wir?
→ Wir gehen **zum** • Hamburger Hafengeburtstag.
→ Wir gehen **zum** • Fußballspiel FC Bayern – FC Barcelona.
→ Wir gehen **zur** • Feier von Lea.

INFO

The **Hamburger Hafengeburtstag** (*Hamburg Port Birthday*) is the biggest port festival in the world. It attracts over a million visitors every year. The festival commemorates the date Hamburg's port was founded – 7th May 1189.

9 Hören

8.07 **Lea and Niels have been a couple since Lea's birthday party. They like going out. But they don't always agree about where they want to go. Listen to what Niels and Lea tell you about themselves. Where does Niels like going (N), what does Lea like doing (L) and what do they both enjoy (NL)? Write your answers.**

A

___ ins • Kino gehen

B

___ ins • Museum gehen

C

___ ins • Theater gehen

D

___ in • ein Konzert gehen

E

___ in • eine Ausstellung gehen

F

NL in • ein Restaurant gehen

INFO

Wohin (*Where (to)*) gehen wir?
→ Wir gehen **in** • **den/einen** Film von Steven Spielberg.
→ Wir gehen **in** • **das/ein** Konzert.
→ Wir gehen **in** • **die/eine** Ausstellung.
→ Wir gehen **in** • **die/---** Ausstellungen.

10 Schreiben

Write down where Lea and Niels like going.

Lea	Niels	Lea und Niels
Lea geht gern ins Konzert.		

11 Über mich

And what about you? Write sentences using the following pattern.

Ich gehe gern ______________________________

Ich gehe nicht gern ______________________________

12 Hören und Lesen

▶ 8.08 **a Listen to what Niels and Lea are planning for next weekend and fill in.**

darfst | können | will | möchtest | kann | möchte | musst | ~~wollen~~

- _Wollen_ wir am Samstag ins Kino gehen, Lea?
- In Ordnung, gern! Kommt denn ein guter Film?
- Ein Film von Roman Polanski. Den ____________ ich gern sehen.
- Puh, ein europäischer Film. Darauf habe ich eigentlich keine Lust.
- Na ja, wir ____________ ja am Freitag einen Action-Film gucken. Oder ____________ du lieber in ein Konzert gehen?
- Am Freitag arbeite ich bis 20 Uhr. Da ____________ ich nicht mitkommen.
- Oder wir gucken am Samstag den Film von Polanski und du ____________ am Sonntag ein Konzert aussuchen.
- Am Sonntag ____________ ich eigentlich in die Ausstellung „Picasso und die klassische Moderne" gehen …
- Einverstanden, Picasso gefällt mir, da komme ich mit. Dann gehen wir aber am Samstag in den Film von Polanski, oder?
- Also gut, aber du ____________ die Tickets kaufen!
- Sehr gern.

WORDS

In Ordnung.	*All right.*
Darauf habe ich eigentlich keine Lust.	*Actually, I don't fancy that.*
Na ja, …	*Well …*
aussuchen	*to choose*
Einverstanden, …	*OK …*
Also gut, …	*OK then …*

INFO

Compare:
Ich **möchte** den Film **sehen**.
(*I'd like to see the film.*)
Ich **will** den Film **sehen**.
(*I want to see the film.*)

b Read the conversation again. What did Lea and Niels finally agree on? Mark the right answer.

☐ Sie gehen am Freitag in einen Action-Film, am Samstag in den Film von Roman Polanski und am Sonntag in die Ausstellung „Picasso und die klassische Moderne".

☐ Sie gehen am Samstag ins Kino und am Sonntag in die Ausstellung.

☐ Sie gehen am Freitag in die Ausstellung, am Samstag ins Kino und am Sonntag in ein Konzert.

13 Sprechen

What do these phrases mean? Put them in the right column.

Na ja … | Einverstanden. | Darauf habe ich eigentlich keine Lust. | Also gut … | In Ordnung. | Ach nein, ich möchte lieber …

Agreement	Rejection	Not much enthusiasm

14 Hören

▶ 8.09 **a It's February. As usual in many German companies, the employees are supposed to fill the calendar in with their leave for the rest of the year. Listen to the conversation between Paul Gregor and Philipp Lutz. What's the problem with this particular holiday plan? Mark with crosses.**

- ☐ Die Mitarbeiter Gregor und Lutz wollen im Juli zur gleichen Zeit in Urlaub gehen.
- ☐ Die Mitarbeiter Gregor und Lutz wollen vor dem Abschluss von ÖkoFlight in Urlaub gehen.
- ☐ Die Mitarbeiter Gregor, Lutz und Litschmann wollen vor dem Start von Projekt GrünElec in Urlaub gehen.

Projekte: ÖkoFlight | TecXM Teil II | HighJP | GrünElec

Urlaub: Gregor | Lutz | Litschmann

MAI						
Mo	Di	Mi	Do	Fr	Sa	So
24	25	26	27	28	29	30
1	2	3	~~4~~	~~5~~	~~6~~	~~7~~
~~8~~	9	10	11	12	13	14
15	16	17	18	19	20	21
22	23	24	25	26	27	28
29	30	31	1	2	3	4

JUNI						
Mo	Di	Mi	Do	Fr	Sa	So
29	30	31	1	2	3	4
5	6	7	8	9	10	11
12	13	14	15	16	17	18
19	20	21	22	23	24	25
26	27	28	29	30	1	2
3	4	5	6	7	8	9

JULI						
Mo	Di	Mi	Do	Fr	Sa	So
26	27	28	29	30	1	2
3	4	5	6	7	8	9
10	11	12	13	14	15	16
17	18	19	20	21	22	23
24	25	26	27	28	29	30
31	1	2	3	4	5	6

WORDS

• Mitarbeiter, -	*employee/colleague*
zur gleichen Zeit	*at the same time*
• Urlaub, -e	*leave/holidays*
vor dem • Abschluss	*before completion*

b Listen to the conversation again. What do Paul Gregor and Philipp Lutz agree on? Mark with crosses.

- ☐ Paul Gregor fährt zum Hamburger Hafengeburtstag. Philipp Lutz darf im Juli und August vier Wochen Urlaub machen.
- ☐ Philipp Lutz fährt nicht zur Geburtstagsfeier. Paul Gregor fährt zum Hamburger Hafengeburtstag.
- ☐ Philipp Lutz kann zur Geburtstagsfeier fahren. Paul Gregor will für Juli zwei Wochen Urlaub beantragen.

INFO

Most employees are entitled to 30 days' paid leave per year in Germany. This leave is typically put on a common calendar at the beginning of the year. If there are any inconvenient overlaps, the employees normally find a suitable solution amongst themselves. They then make an official application for leave to their boss, which is usually approved.

WORDS

beantragen	*to apply for sth.*

15 Wortschatz und Grammatik: Die Modalverben

There are six modal verbs in German (**müssen, sollen, dürfen, können, wollen, „möchten“**). They modify the meaning of the verb in the sentence.

> **müssen** expresses an obligation or a need: **Ich muss das Buch lesen.**
(= I have no choice but to read the book, e.g. for an exam.).

> **sollen** expresses a demand: **Ich soll das Buch lesen.**
(= Someone has advised me to read the book.).

> **dürfen** expresses permission or forbiddance (**nicht dürfen**): **Ich darf das Buch lesen.**
(= The book does not belong to me but the owner has allowed me to read it.). As well as this, **„dürfen“** is used as a pleasantry: **Darf ich Sie etwas fragen?** (= *May I ask you something?*).

> **können** expresses an ability or a possibility: **Ich kann das Buch lesen.**
(= I can speak the language the book is written in: ability. / I have time to read the book at the weekend: possibility.).

> **wollen** expresses a strong wish or an intention: **Ich will das Buch lesen.**
(= I firmly intend to read the book.).

> **„möchten“** (see Unit 4) expresses a wish: **Ich möchte das Buch lesen.**
(= I would very much like to read the book, however, I'm not sure whether I'll be able to.).
Furthermore, **„möchten“** is used as a polite form: **Ich möchte bitte einen Kaffee.**
(*I'd like a coffee, please.*).

Modal verbs are used in the same way as "normal" verbs in a sentence:
they always take second position: **Ich muss das Buch lesen.**
The verb showing the activity (e.g. **lesen**) is always used in its basic form (infinitive) at the end of the sentence: **Ich muss das Buch lesen.**
If the context is clear, you can leave the verb in infinitive out: **Ich kann nicht (kommen).**
The present forms of the modal verbs are as follows:

	müssen	sollen	dürfen	können	wollen	„möchten“
ich	**muss**	**soll**	**darf**	**kann**	**will**	möchte
du	**musst**	sollst	**darfst**	**kannst**	**willst**	möchtest
er/es/sie	**muss**	**soll**	**darf**	**kann**	**will**	möchte
wir	müssen	sollen	dürfen	können	wollen	möchten
ihr	müsst	sollt	dürft	könnt	wollt	möchtet
sie/Sie	müssen	sollen	dürfen	können	wollen	möchten

Notice that all modal verbs are the same in 1st and 3rd person singular and plural.

16 Üben

Fill in the correct form of the modal verb.

1 *können* or *wollen*?

- Hallo, Mika. Wir ______________ heute Abend ins Kino gehen. Kommst du mit?
- Tut mir leid, da ______________ ich nicht.

- Und morgen? Wir _____________ in den neuen Film mit Leonardo DiCaprio.
  Hanna _____________ den schon lange sehen.
- Gern.

2 *dürfen* or *müssen*?

- Was machst du denn hier? Du _____________ noch nicht aus dem Bett.
  Der Arzt hat gesagt, du _____________ die ganze Woche im Bett liegen!
- Aber mir geht es gut! Da _____________ ich spazieren gehen, oder?
- Aber nicht länger als fünf Minuten!

3 *sollen* or *möchten*?

- Wohin _____________ du am Wochenende gehen?
- In ein Konzert. Die Blue Dogs sind in der Stadt. Das ist meine Lieblings-Band.
  Nico sagt auch, wir _____________ zum Konzert gehen.
- In Ordnung, _____________ ich die Tickets kaufen?
- Sehr gern, vielen Dank!

17 Grammatik: Die Präpositionen *zu, in* und *nach*

The question **Wohin ...?** (*Where (to) ...?*) can be answered with the prepositions **zu, in** and **nach**.

Wohin gehst du?

> **zu** takes the dative form and means: to someone's place / to a shop / to an event.
  Ich gehe **zum** / **zu einem** • Arzt. / **zur** / **zu einer** • Feier.
  zum and **zur** are the short forms of **zu dem** and **zu der**.

> When **in** means "going into a building / into an institution / to an event", the accusative form is used (compare Unit 7: **in** + dative form).
  Ich gehe **in** • **den/einen** Film / **ins** / **in** • **ein** Museum / **in** • **die/eine** Ausstellung.
  For **in das** the short form **ins** is usual.

> **nach** takes the dative form and means: to a country / a city / a continent.
  Ich gehe **nach** Rom.
  Be careful: If the country has an article (see Unit 1, e.g. **die Türkei**), you have to use **in** + accusative again (**Ich fahre in die Türkei.**).

18 Üben

Fill in *nach*, *zu* or *in*. Remember that *in* is also used with the dative form (see Unit 7).

1 Pietro fährt oft __________ Italien. __________ den USA war er noch nie.

2 Sie gehen __________ Geburtstagsfeier von Leon. Er feiert __________ Restaurant „Poseidon".

3 Wir fahren mit Lea __________ Hamburg __________ Hafengeburtstag.

8 The art of arriving on time

You're invited to a party at someone's home in Germany. It starts at 8pm. What time will you be at the front door?

A ☐ five minutes to eight
B ☐ eight o'clock on the dot
C ☐ ten to fifteen minutes past eight

Germans are punctual, that's a well-known fact, isn't it? So, you can never be too early, you think to yourself as you happily ring the doorbell at five to eight – only to be met with bewildered faces. Punctuality is considered a virtue in Germany but you should never be over punctual unless you want to make your host feel very embarrassed.
The only time it's acceptable to be early is for business. If you have an interview or an appointment with your boss, it's best to check in with the team assistant five to ten minutes before the appointment and wait until you're called in.
Ha, so you think you should turn up to a private party at eight on the dot. Well, it certainly wouldn't be a faux pas (as in some other countries) but you'll still often be met with surprise. Contrary to the general stereotype, quite a lot of Germans aren't completely punctual, except where business is concerned. While business appointments are kept to the minute, it's no problem to be a few minutes late for private arrangements. In actual fact, with many Germans you can judge how comfortable they feel with you by their degree of lateness.
However, if you're going to be more than a quarter of an hour late, it's considered polite to give your host a quick ring and let them know. The only exception is an informal party with a buffet, you can easily be half an hour late for that without anyone thinking any the worse of you. But, men, be aware! If you're meeting a woman for a date, you should make sure you're absolutely punctual. Any lateness at all is regarded by many women as a lack of interest in them and may even be taken as an insult.

You have now mastered eight units, congratulations! So you're bound to understand the second instalment of our serial with no problems at all. If you're no longer sure what happened in the first instalment (after Unit 4), go back and read it again!

Freitag, der 13. (Teil 2)

5:30 Uhr morgens in Hamburg

Wo bekomme ich um halb sechs Uhr am Morgen in Hamburg 800 Kilo Äpfel, 500 Kilo Bananen, 2500 Kilo Orangen und 300 Kilo Birnen? Ganz klar, auf dem Markt.

Die Stadt ist noch ruhig, aber am Hafen sind schon viele Leute unterwegs. Ich denke an den Text auf meinem Smartphone. „Rot ist der Apfel, die Banane ist schwarz, rot ist die Liebe und schwarz ist was?" Wer schreibt so etwas? Und woher weiß er oder sie von den schwarzen Bananen?

Auf dem Markt gehe ich zu Manfred, bei ihm habe ich das Obst gekauft. „Hallo, Lukas", sagt Manfred. „Wie geht's? Was machst du denn hier? Ich habe gedacht, du fährst heute nach Stockholm?"

„Ja, stimmt, um 7:30 Uhr. Aber, Manfred, dein Obst ist nicht gut. Die Bananen waren heute Morgen schwarz!"

„Obst? Von mir hast du kein Obst bekommen", sagt Manfred.

„Was? Das kann nicht sein. Ich war doch gestern hier!"

„Richtig, aber kurz danach habe ich mit einer Frau telefoniert. Du brauchst das Obst nicht – das hat sie gesagt. Deshalb hast du von mir auch kein Obst bekommen. War das falsch?"

„Eine Frau? Wie heißt sie denn?"

„Sie hat ihren Namen nicht gesagt."

„Und die Telefonnummer?"

„Die habe ich nicht gesehen", sagt Manfred.

Was mache ich jetzt nur? Ich weiß es nicht oder ... Oma Viola, das ist es! Meine Großeltern haben ein Restaurant – dort habe ich kochen gelernt. Oma Viola ist wunderbar, sie kennt viele, viele Leute und sie kann alles! 4100 Kilo Obst in den nächsten zwei Stunden? Für Oma Viola kein Problem! Mein Smartphone vibriert. Noch eine Textnachricht ohne Namen oder Nummer. Ich lese: „Hansestraße 21, 6:30 Uhr. Allein."

... to be continued after Unit 12 ...

1 Lesen

Read the text and decide whether the statements are true or false. Mark the right answer.

	richtig	falsch
1 Das Schiff fährt um 7:30 Uhr nach Stockholm.	☒	☐
2 Am Morgen sind in der Stadt viele Leute unterwegs.	☐	☐
3 Lukas braucht bis 7:30 Uhr 4100 kg Obst.	☐	☐
4 Lukas hat die schwarzen Bananen von Manfred bekommen.	☐	☐
5 Oma Viola hat ein Restaurant.	☐	☐
6 Lukas soll in die Hansestraße kommen.	☐	☐

2 Üben

→ Unit 5

Put the sentences into the perfect tense (*Perfekt*) and fill in the gaps. If necessary, use the glossary.

1 Ich denke an den Text auf meinem Smartphone.
→ Ich _habe_ an den Text auf meinem Smartphone _gedacht_.

2 Wer schreibt so etwas?
→ Wer ____________ so etwas ____________________?

3 Woher weiß er von den schwarzen Bananen?
→ Woher ____________ er von den schwarzen Bananen ____________________?

4 Auf dem Markt gehe ich zu Manfred.
→ Auf dem Markt ____________ ich zu Manfred ____________________.

5 Er telefoniert mit einer Frau. → Er __________ mit einer Frau ____________________.

3 Üben

→ Unit 6

Replace the words in bold with the right pronouns and write full sentences.

1 Ich lese **den Text** auf meinem Smartphone.
→ Ich lese _ihn_ auf meinem Smartphone.

2 Ich habe das Obst von **Manfred** bekommen.
→ ____.

3 Ich habe nicht mit **Manfred** telefoniert.
→ ____.

4 Manfred hat mit **einer Frau** telefoniert.
→ ____.

5 Die Frau hat **ihren Namen** nicht gesagt.
→ ____.

6 Manfred kann **die Nummer** nicht sehen.
→ ____.

4 Hören

→ Unit 6

▸ W2.01

Read the answers below first. Then listen to the questions and match them up. Which question goes with which answer?

INFO

Listen to the questions as many times as you like or press pause after each question. That'll give you enough time to find the right answer!

1 ___ **a** Nein, denn Lukas hat von Manfred kein Obst bekommen.

2 _d_ **b** Nein, das Schiff fährt nicht um 6:30 Uhr nach Stockholm, sondern um 7:30 Uhr.

3 ___ **c** Nein, er hat nicht mit Oma Viola telefoniert, sondern mit einer Frau.

4 ___ **d** Nein, aber seine Großeltern.

5 ___ **e** Nein, aber Lukas.

5 Üben: *dürfen, können, müssen, sollen, wollen*

→ Unit 8

What goes in the gaps? Fill in the text with the right modal verbs. Make sure you use the right form of the verb.

wollen | können | dürfen | müssen | sollen

Lukas __________ (1) sehr gut kochen. Er mag seine Kollegen und seine Arbeit auf dem Schiff, aber heute hat er ein Problem. Er __________ (2) bis 7:30 Uhr 4100 kg Obst kaufen, denn das Obst war heute Morgen nicht gut. Die Gäste __________ (3) das nicht wissen. Lukas __________ (4) mit Oma Viola telefonieren, aber dann bekommt er eine Nachricht auf seinem Smartphone. Er __________ (5) in die Hansestraße kommen. Allein.

6 Schreiben

→ Unit 8

It's Lukas's colleague Tarik's birthday during the cruise. He invites friends and colleagues to a small party in Stockholm. Write an answer:

- Thank him for the invitation.
- Sadly, you can't go. Apologise.
- Say that you have friends in Stockholm and would like to visit them.

Liebe Kolleginnen und Kollegen, liebe Freunde,
am Mittwoch, den 18. Mai, werde ich 27 Jahre alt. Wie Ihr wisst, sind wir an dem Tag in Stockholm. Deshalb möchte ich Euch um 19:00 Uhr herzlich in das Restaurant „Polarsken" in der Sverigegata 21 in Stockholm einladen. Gebt bitte bis zum 17. Mai Bescheid, ob Ihr kommt.
Herzliche Grüße
Tarik
09:48

7 Üben: *in* oder *im*?

→ Units 7 and 8

Fill in the sentences with *in* or *im*. What's right?

Lukas wohnt ______ (1) Kiel ______ (2) einer Wohnung ______ (3) fünften Stock. ______ (4) seiner Wohnung gibt es nicht viel. ______ (5) der Küche stehen ein Tisch und zwei Stühle, ______ (6) Wohnzimmer gibt es ein Sofa und zwei Sessel und ______ (7) Schlafzimmer natürlich ein Bett. Kochen hat er ______ (8) Restaurant von seinen Großeltern gelernt. Manchmal guckt er mit Freunden einen Film ______ (9) Kino. Er fährt oft ______ (10) andere Länder, besonders gern ______ (11) die Türkei.

8 Über mich

Write down some information about yourself. Write full sentences.

Ihre Familie:

Wie heißen Ihre Eltern? ______________________________

Haben Sie Geschwister? ______________________________

Haben Sie Kinder? ______________________________

Ihre Wohnung:

Wohnen Sie in der Stadt oder auf dem Land?

____

Ist Ihre Wohnung groß? Wie viele Zimmer gibt es?

____

Gibt es einen Garten oder einen Balkon?

____

... und Sie:

Was machen Sie gern? ______________________________

Was können Sie gut? ______________________________

9 Hören und Sprechen

▶ W2.02

Now have a conversation. Listen to the questions and answer using your personal information from exercise 8.

1 Hören

▸ T1.01 – T1.04

Listen and mark the right answer with a cross. You will hear each text twice.

1 Wohin gehen Fiona und Patrick?

a ☐ Ins Theater. **b** ☐ Ins Kino. **c** ☐ In ein Konzert.

2 Der neue Termin ist:

a ☐ Um 10:30 Uhr. **b** ☐ Um 11:30 Uhr. **c** ☐ Um 12:30 Uhr.

3 Wo ist das Büro von Herrn Möller?

a ☐ Im Erdgeschoss. **b** ☐ Im 1. Stock. **c** ☐ Im 2. Stock.

4 Die Gäste sollen auf die Terrasse gehen.

☐ richtig ☐ falsch

2 Lesen

Read the texts and the statements. Mark the right answers with crosses.

Liebe Agnieszka,
wie geht es Dir? Was hast Du am Wochenende gemacht? Ich war auf einer Party von Sven und Katharina. Du kennst sie doch auch, oder? Die Party war ziemlich langweilig. Wir haben gegessen und getrunken und ein bisschen getanzt. Na ja!
Wollen wir morgen Abend ins Schloss-Museum gehen? Es gibt dort eine Ausstellung mit Bildern von Gabriele Münter. Morgen ist das Museum bis 21 Uhr geöffnet!
Viele Grüße
Silvia

Liebe Gäste,
wir haben heute eine Familienfeier. Deshalb ist unser Restaurant geschlossen. Morgen haben wir wie immer von 11 Uhr bis 23 Uhr geöffnet.

Ihre Familie Weinzierl
und das „Neuwirt"-Team

1 Die Party hat Silvia gefallen.

☐ richtig ☐ falsch

2 Silvia möchte morgen eine Ausstellung besuchen.

☐ richtig ☐ falsch

3 Das Museum ist auch am Abend geöffnet.

☐ richtig ☐ falsch

4 Sie können heute im Restaurant „Neuwirt" essen.

☐ richtig ☐ falsch

3 Wortschatz und Grammatik

Read the e-mail. Which words go in the gaps? Mark a, b or c with a cross.

An Stefan
Von Juan

Lieber Stefan,
wie geht es ___ (1)? Ich bin jetzt schon seit zehn Tagen in Hamburg. Hier ist alles super. Mein neuer Job gefällt mir sehr gut. Ich arbeite als Controller ___ (2) Flix-Flight. Die Firma ist am Flughafen von Hamburg. Mein Bürotisch steht ___ (3) Fenster und ich sehe jeden Tag die Flugzeuge. Das macht Spaß.
Wohnungen sind in Hamburg teuer. ___ (4) wohne ich in einer WG. Meine zwei Mitbewohner sind Brad ___ (5) USA und Viktor aus Russland. Ich habe ein Zimmer mit Balkon und wir teilen die Küche und das Bad. Brad und Viktor ___ (6) sehr sympathisch. Trotzdem suche ich ___ (7) Wohnung für mich. Nach der Arbeit möchte ich lieber allein sein.
Willst Du ___ (8) in Hamburg besuchen? Du bist herzlich willkommen. Hast Du ___ (9) Mai Zeit? Dann ___ (10) wir zusammen zum Hamburger Hafenfest gehen.
Viele Grüße
Juan

	a	b	c
1	☐ Du	☐ Dich	☐ Dir
2	☐ bei	☐ zu	☐ an
3	☐ an der	☐ an das	☐ am
4	☐ Trotzdem	☐ Deshalb	☐ Denn
5	☐ aus	☐ aus der	☐ aus den
6	☐ sein	☐ sind	☐ ist
7	☐ ein	☐ eine	☐ einen
8	☐ mich	☐ mir	☐ mein
9	☐ am	☐ um	☐ im
10	☐ können	☐ kann	☐ könnt

4 Schreiben

Write a message to your friend Sophie. Make sure you write something about each point. Include a greeting and a closing phrase, too.

- Sie möchten ein Geschenk für Ihre Schwester kaufen.
- Möchte Sophie mitkommen und danach ins Kino gehen?
- Sagen Sie den Termin: morgen, 16:00 Uhr

9 Im Restaurant

In this unit you will learn to speak confidently in typical restaurant or café situations:

- ordering food and drink
- asking for things
- paying for food and drink

9 Ich hätte gern das Schnitzel.

1 Lesen

Read the conversation between Anja and her Spanish colleague Juan and answer the questions.

1 Was machen Anja und Juan morgen? Sie ______________________________.

2 Wann und wo treffen sie sich? ______________________________.

Wollen wir morgen Abend essen gehen, Anja? 20:52

Gern. Wohin gehen wir? 20:54

Ich möchte gern die deutsche Küche kennenlernen. Kennst du nicht zufällig ein gutes Restaurant? 20:57

Doch. Das „Kleine Hähnchen" ist super. Aber es ist meistens ziemlich voll. Wir müssen einen Tisch reservieren. Das kann ich machen. 21:01

Okay. Dann morgen um acht vor dem „Kleinen Hähnchen"? 21:03

Einverstanden. Bis dann. 21:04

INFO

If you want to contradict a negative question or statement, answer with **Doch**.
Kennst du **nicht** zufällig ein gutes Restaurant? – **Doch.**

WORDS

sich treffen, trifft sich, hat sich getroffen	*to meet*
zufällig	*by (any) chance*
• Hähnchen, -	*chicken*
voll	*full*
Bis dann.	*See you then.*

2 Hören und Lesen

▶ 9.01 **a** **Anja and Juan have arrived at the *Kleines Hähnchen*. What do they order? Listen and mark with crosses.**

WORDS

• Gericht, -e	*dish*

Getränke:

A 

☐ • die Apfelschorle

B 

☐ • das Mineralwasser

C 

☐ • der Weißwein

D 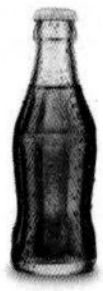

☐ • die Cola

Gerichte:

E 

☐ • der Schweinebraten mit • Bratkartoffeln

F 

☐ • das Schnitzel mit • Pommes frites

G 

☐ • die Gemüsesuppe

H 

☐ • der Salat

b Listen again and read. Put the polite phrases in the right gaps.

bitte | Bitte sehr | ich hätte gern | hätte noch eine Bitte | ~~Hier bitte~~ | ich möchte | hätten Sie gern

- Guten Tag. Hier bitte ___, die Speisekarte. Darf ich Ihnen schon etwas zu trinken bringen?
- Ja, eine Apfelschorle, ___.
- Ich weiß es noch nicht. Ich muss erst in die Karte sehen.
- Kein Problem.
- Ich habe Hunger. Ich denke, ich nehme ein Schnitzel. Und du?
- Ich weiß nicht. Mein Hunger ist nicht so groß. Vielleicht nehme ich nur eine Suppe oder einen Salat.
- ___, eine Apfelschorle. Haben Sie schon gewählt?
- Also, ___ das Schnitzel mit Bratkartoffeln. Eine Frage, bitte: Ist das ein Schweineschnitzel?
- Nein, das ist ein echtes Wiener Schnitzel, das heißt, es ist aus Kalbfleisch.
- Aha. Ich ___: Kann ich das Schnitzel auch mit Pommes frites bekommen?
- Ja, das geht. Und was ___?
- Eine Gemüsesuppe und ein Mineralwasser, bitte. Und ___ einen Weißwein trinken.

INFO

The word **bitte** is not just used when you request something, that is, when you mean "please". With the words **Hier bitte. / Bitte sehr. / Bitte schön.** (*Here you are.*) you can offer or pass something to someone. Also, **bitte (schön/sehr)** is the right answer when someone thanks you for something: **Danke. – Bitte.** (*You're welcome.*)

WORDS

• Speisekarte, -n	*menu*
Ich habe Hunger.	*I'm hungry.*
wählen	*to choose*
• Frage, -n	*question*
• Kalbfleisch	*veal*
echt	*real*
das heißt	*in other words*

3 Sprechen

▶ 9.02 **Tell the waitress what you would like to eat and drink. Use the food and drinks in exercise 2a in the following order: A+E, B+F, C+G, D+H. You will then hear the right answer. Listen to an example first.**

- Was hätten Sie gern?
- Ich hätte gern eine Apfelschorle und den Schweinebraten mit Bratkartoffeln.

INFO

The polite forms of **haben** are:
ich **hätte**
sie/Sie **hätten**

4 Wörter entdecken: Geschmack

What do the following things taste like? First try to fill in the chart without using a dictionary. Your English and the examples will help you.

Pommes frites | Zitrone | ~~Chili~~ | ~~Zucker~~ | Schokolade | Salz | Cola | ~~Essig~~ | Kaffee | Bier | Pfeffer

• der Essig

bitter	süß	sauer	scharf	salzig
	Zucker	*Essig*	*Chili*	

• das Salz

• der Pfeffer

5 Hören und Lesen

▶ 9.03 **Anja and Juan have some more questions and requests. And they talk about the food. What's right? Listen, read and mark with crosses.**

1 Anja möchte einen ☐ süßen ☐ trockenen Wein trinken.
2 Anja bittet um ☐ mehr Suppe. ☐ Brot.
3 Der Wein ☐ schmeckt sehr gut. ☐ ist okay.
4 Die Pommes sind ☐ sehr salzig. ☐ nicht salzig.

■ Ich möchte einen Weißwein trinken. Könnten Sie mir einen empfehlen?
□ Soll der Wein süß oder trocken sein?
■ Lieber trocken.
□ Dann empfehle ich Ihnen unseren Riesling. Der ist wirklich sehr gut.
■ Gut. Dann probiere ich den.
□ Hier, bitte sehr: einmal Schnitzel mit Pommes frites und eine Suppe. Und das Wasser und der Wein natürlich.
■ Entschuldigung, könnte ich etwas Brot zur Suppe bekommen?
□ Ja, natürlich. Kommt sofort.

WORDS

trocken	*dry*
empfehlen, empfiehlt, hat empfohlen	*to recommend*
probieren	*to try*
etwas Brot	*some bread*
Kommt sofort.	*Coming up.*
schlecht	*bad*
• Durst	*thirst*

INFO

The **Riesling** grape represents German wine culture like no other. It is grown in almost all wine-growing regions and is considered to be the King of white wines.

- Und? Wie schmeckt der Wein?
- Nicht schlecht. Ein bisschen sauer vielleicht. Und wie ist dein Schnitzel?
- Sehr gut. Aber die Pommes sind zu salzig. Die machen Durst. Ich denke, ich trinke noch eine Apfelschorle.

INFO

When you want to order a second (third ...) drink, order it like this:
Noch ● ein**en** Kaffee, bitte.
Noch ● ein Bier, bitte.
Noch ● eine Apfelschorle, bitte.
Don't ever say "~~ein anderes Bier~~".
That means that you want to exchange your beer for another one.

6 Schreiben und Sprechen

a What is the waitress supposed to bring? Make polite requests as in the example.

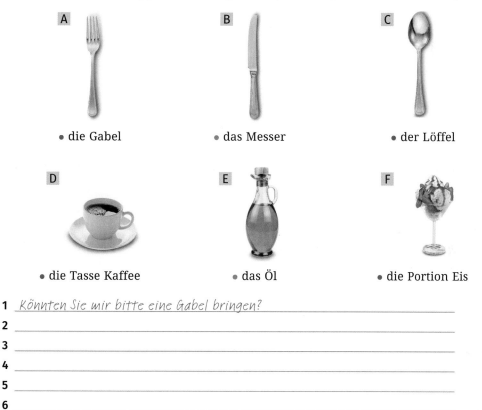

A

● die Gabel

B

● das Messer

C
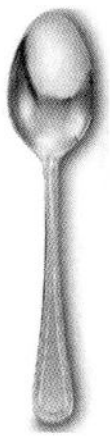
● der Löffel

D

● die Tasse Kaffee

E

● das Öl

F

● die Portion Eis

1 *Könnten Sie mir bitte eine Gabel bringen?*
2 ______
3 ______
4 ______
5 ______
6 ______

▶ 9.04 **b Listen to the questions and repeat.**

INFO

The polite forms of **können** are:
ich **könnte**
sie/Sie **könnten**

INFO

Notice the position of the objects: the person (for whom?) goes before the thing (what?).
Ich empfehle Ihnen unseren Riesling.
Könnten Sie mir eine Gabel bringen?

7 Hören und Lesen

▶ 9.05 **a Now listen and read the end of the conversation between Anja, Juan and the waitress. A couple of mistakes have slipped into the text. Correct them.**

- Hallo? Noch eine Apfelschorle, bitte.
- Gern.
- Und könnten Sie mir bitte ~~den Zucker~~ das Salz bringen?

...

- Entschuldigung? Ich warte noch immer auf mein Salz.
- Oh, tut mir leid. Ich bringe sie Ihnen sofort.

...

- Hat es Ihnen geschmeckt?
- Ja, danke.
- Darf es noch ein Eis oder ein Kaffee sein?
- Ach ja, warum nicht? Ich nehme einen Tee. Du auch?
- Nein, für mich eine Tasse Kaffee. Mit extra viel Zucker, bitte.
- Könnten Sie uns bitte auch gleich die Rechnung bringen?
- Natürlich. Zusammen oder getrennt?
- Zusammen.
- Aber nein, Juan. Du musst mich nicht einladen.
- Doch, doch, doch!
- Ein Schnitzel mit Pommes, eine Suppe, ein Weißwein, ein Wasser, zwei Apfelschorlen, eine Tasse Kaffee, ein Cappuccino. Das macht 50 Euro 42.
- Hier bitte: 45. Stimmt so.

INFO

Notice how the position of the objects is inverted when just pronouns are used:

Ich bringe Ihnen die Apfelschorle sofort.

Ich bringe sie Ihnen sofort.

WORDS

warten (auf)	*to wait (for)*
noch immer	*still*
auch gleich	*at the same time, too*
• Rechnung, -en	*bill*

b How do you say it in German? Read the conversation in a again and make notes.

1 *You want to attract the waiter's/waitress's attention:*

____

2 *The waiter/waitress wants to know whether the food was good:*

____

3 *This is how the waiter/waitress asks whether one person will be paying the bill or whether each person will be paying individually:* ______________________________

4 *This is how you say what the total amount is:* ______________________________

5 *You give a tip and want to let the waiter/waitress know that he/she doesn't need to give you any change:* ______________________________

8 Lesen

Read the text and mark the answers to the questions.

1 Was hat Michaela N. in einem spanischen Restaurant gegessen?

____

2 Was heißt „Pizza Quattro Stagioni“ auf Deutsch?

____

Vier Bahnhöfe auf einem Teller

Sicher kennen Sie das: Sie möchten im Urlaub etwas essen, verstehen aber die Landessprache nicht. Zum Glück war das Restaurant so nett und hat alle Gerichte auf der Speisekarte in Ihre Sprache übersetzt. Wort für Wort. „Ich habe im letzten Spanien-Urlaub ‚Fisch auf dem Teller‘ bestellt“, erzählt Michaela N. aus Wuppertal. „Das war die deutsche Übersetzung von ‚Pescado a la plancha‘ auf der Speisekarte – damit kann ich nichts falsch machen, habe ich gedacht. Ich habe einen Fisch bekommen. Er war gegrillt und ja, er war auf einem Teller“, lacht Michaela.

„A la plancha“ bedeutet „gegrillt“, nicht „auf dem Teller“. Und was heißt „Pizza Quattro Stagioni“ auf Deutsch? Na klar, „Pizza Vier Bahnhöfe“! Aus „stagioni“ hat der Übersetzer „stazioni“ gemacht – und schon wurde aus der beliebten „Pizza Vier Jahreszeiten“ eine banale Bahnhofs-Pizza.

WORDS

• Bahnhof, ¨-e	*station*
• Teller, -	*plate*
sicher	*for sure*
verstehen, hat verstanden	*to understand*
nett	*kind*
übersetzen, hat übersetzt	*to translate*

WORDS

bestellen	*to order*
erzählen	*to tell*
lachen	*to laugh*
bedeuten	*to mean*
wurde	*became*
• Jahreszeit, -en	*season*

INFO

To pronounce the letter **h**, breathe out through your mouth so that you can hear the flow of air (**Hunger**). The letters **ch** are pronounced in two different ways: [χ] after **a, o, u, au (auch, doch)**; [ç] after **ä, ö, ü, e, i, ei** and **eu/äu (ich möchte)** as well as after consonants (**Hähnchen**). This is how you pronounce [χ]: say “k” and let air flow out of your mouth: **kchchch**. This is how you pronounce [ç]: put a pen in your mouth and try to say “isch”. Instead of “isch” the sound **ich** should come out. Be careful though – in foreign words the **ch** is usually pronounced the same as in the original language, e.g. **Chef** like in French [ʃɛf].

9 Gut aussprechen: *h, ch*

9.06 **Listen and repeat. Notice the letters marked in blue.**

Ich habe Hunger.
Ein Hähnchen? – Ach ja, warum nicht?
Ich hätte noch eine Bitte.
Ich möchte die deutsche Küche kennenlernen.
Du musst mich nicht einladen.
Doch, doch, doch!
Könnten Sie uns bitte auch gleich die Rechnung bringen?
Das macht acht Euro achtzig.

10 Sprechen

a **What could you say instead? Join up the sentences that have a similar meaning.**

1 Haben Sie schon gewählt?
2 Kann ich bitte die Karte haben?
3 Ich hätte gern eine Tasse Kaffee.
4 Kann ich bitte noch einen Kaffee bekommen?
5 Wir möchten gern bezahlen.

a Ich nehme eine Tasse Kaffee.
b Ich möchte noch einen Kaffee, bitte.
c Was darf ich Ihnen bringen?
d Könnten Sie uns bitte die Rechnung bringen?
e Ich möchte bitte erst in die Karte sehen.

▶ 9.07 b **Listen and repeat.**

11 Sprechen: Karaoke

▶ 9.08 **Now it's your turn. Imagine you're at a German restaurant. Listen to what the waiter says and play the customer's role.**

- ...
- Ich hätte gern das Wiener Schnitzel mit Kartoffeln und ein Bier. Können Sie mir eins empfehlen?
- ...
- Gut. Dann probiere ich das.

...

- ...
- Danke. Könnten Sie mir bitte noch Salz bringen?

...

- ...
- Ja, danke. Sehr gut.
- ...
- Nein, danke. Aber ich möchte bitte bezahlen.
- ...
- Hier bitte. Stimmt so.

12 Hören und Lesen

▶ 9.09 **a Listen and read the conversations and mark all the requests in yellow, all the positive reactions in green and all the offers that are made voluntarily in blue.**

1 ■ Könntest du morgen Abend für mich arbeiten?
■ Ja, das geht. Übernimmst du dann bitte am Sonntag meine Schicht?
■ Einverstanden.

2 ■ Könntest du bitte den Gästen die Getränke bringen? Ich muss noch eine Rechnung ausdrucken.
■ Alles klar. Lorenz, ich brauche noch zweimal das Hähnchen mit Pommes und einmal den Salat mit Lachs.
■ Ja, ja. Eva, könntest du bitte den Salat vorbereiten? Das wäre nett von dir.
■ Ist gut. Aber der Chef braucht die Einkaufsliste. Ich schreibe sie zuerst fertig und gebe sie ihm, ja?

3 ■ Am Samstag haben wir eine Reservierung für 60 Personen. An dem Tag brauchen wir jede Hilfe.
■ Ich habe nächstes Wochenende frei.
■ Könnten Sie trotzdem kommen?
■ Tut mir leid, das geht nicht. Ich habe am Samstag schon etwas vor.
■ Schade. Kennt jemand eine mögliche Aushilfe?
■ Soll ich meinen Cousin fragen? Er hat Erfahrung in der Gastronomie.
■ Wunderbar. Wären Sie so nett und fragen ihn? Das wäre eine große Hilfe.

WORDS

übernehmen, übernimmt, hat übernommen	*to take over*
• Schicht, -en	*shift*
ausdrucken	*to print out*
Ist gut.	*That's ok.*
fertigschreiben	*to finish writing*
geben, gibt, hat gegeben	*to give*
• Hilfe	*help*
Schade.	*What a pity.*
• Aushilfe, -n	*temporary helper*
• Erfahrung haben in	*to have experience in*

INFO

Wie oft?
ein**mal**, zwei**mal**, ... zehn**mal**, ...
(*once, twice, ... ten times, ...*).

INFO

The polite forms of **sein** are:
er/es/sie **wäre**
sie/Sie **wären**

b Translate into German. You will find all the sentences in the conversations in exercise a.

1 *That would be kind (of you).* ____________________
2 *I'm not working next weekend.* ____________________
3 *I've already got plans on Saturday.* ____________________
4 *Would you be so kind as to ask him?* ____________________
5 *That would be a great help.* ____________________

13 Wörter und Wendungen

Translate into German.

1	What a pity. ________	**2**	the spoon ________
3	to recommend ________	**4**	Another beer, please. ________
5	to translate ________	**6**	the vinegar ________
7	the temporary helper ________	**8**	I have a question. ________
9	still ________	**10**	the soup ________
11	See you then. ________	**12**	the bill ________
13	to understand ________	**14**	the roast pork ________
15	to wait for ________	**16**	the cola ________
17	to order ________	**18**	the station ________
19	the cup ________	**20**	the oil ________

14 Grammatik: Wortstellung Dativ- und Akkusativobjekt

Some verbs can have two objects, for example **bringen**:
Who Whom? / For whom? What?
Der Kellner bringt dem Gast den Wein.
The person for whom something is being done or who is being given something takes the dative form (**dem Gast**) and the thing takes the accusative form (**den Wein**).
The dative object goes before the accusative object. Exception: both objects – person and thing – have been substituted for pronouns. In that case they swap their positions:

- Bringst du dem Gast den Wein?
- Ja, ich bringe ihn ihm sofort.

15 Üben

Fill in the answers.

1 ▪ Maria, ich brauche bitte den Pfeffer.
▪ Moment, ich bringe ihn dir sofort.

2 ▪ Das Eis müssen Sie probieren, Frau Stein.
▪ Können Sie ______ ______ wirklich empfehlen?

3 ▪ Hallo? Wann kommen denn meine Pommes?
▪ Moment, ich bringe ______ ______ sofort.

4 ▪ Könntest du mir die Gabel geben, Tina?
▪ Ja, ich gebe ______ ______ gleich.

5 ▪ Bringst du uns bitte den Essig mit? Er steht im Schrank.
▪ Kein Problem. Ich bringe ______ ______ mit.

6 ▪ Das Schnitzel schmeckt sehr gut. Ich kann ______ ______ sehr empfehlen, Mama.
▪ Danke, sehr nett. Aber ich habe keinen Hunger.

16 Üben

Put the words in the right order and write the sentences.

1 Paul – seinen Kindern – kauft – ein Eis *Paul kauft seinen Kindern ein Eis.*

2 mir – Gibst – bitte – du – den Zucker

______________________________?

3 kocht – den Gästen – Der Koch – eine Suppe

______________________________.

4 Sie – Bringen – noch zwei Bier – uns – bitte

______________________________?

5 Ich – Ihnen – das Bier – sofort – bringe

______________________________.

17 Grammatik: Konjunktiv II von *haben, können, sein*

Among family and friends and even at work it's absolutely fine to formulate a request with a simple question (**Bringst du mir** bitte **eine Gabel?**) or with **können** (Kannst **du mir** bitte **eine Gabel bringen?**). Particularly polite questions and requests – for example in formal contexts – are made using a form called **Konjunktiv II** (second conditional). The polite forms of **haben, können** and **sein** are very frequently used.

	haben	können	sein
ich	**hätte**	könn**te**	**wäre**
du	**hättest**	könn**test**	**wärst**
er/es/sie	**hätte**	könn**te**	**wäre**
wir	**hätten**	könn**ten**	**wären**
ihr	**hättet**	könn**tet**	**wärt**
sie/Sie	**hätten**	könn**ten**	**wären**

18 Üben

Fill in the right form of *hätt-, könnt- or wär-*.

1 *Könntest* du bitte Getränke kaufen? Das __________ wirklich nett.
2 __________ du ein Messer für mich?
3 __________ Sie so nett und bringen mir noch Essig und Öl?
4 __________ ihr die Stühle und Tische auf die Terrasse stellen?
5 Wir __________ gern zwei Gläser Wein und zweimal den Salat mit Lachs.
6 Wollen wir essen gehen? __________ ihr Lust?
7 __________ ihr bitte so gut und legt die Löffel auf den Tisch?
8 Ins Restaurant „Poseidon" gehen? Gute Idee! Wann __________ du Zeit?
9 Wir wollen grillen. __________ wir vielleicht deinen Grill bekommen?

9 Of giving and taking

Have a guess – who are you allowed to tip?

What went wrong? Harald K. is still bewildered. He works for a big German car company and is on a business trip in Japan. “Seaweed, raw fish and salted plums? No problem, on the contrary, I love Japanese food. I’d really been looking forward to the dinner with our business partners!” But at the end of the evening they were looking at him stonily. “I wanted to pay for everything, of course. I wanted to appear generous and tried to give the waiter a large tip. But he gave me a really sour look.”
Tips **(das Trinkgeld)** are one of the most underestimated cultural faux pas of all. Nothing marks the diner out as a show-off or a miser quite as much as tipping too much or too little. But what is too much or too little? For German-speaking countries the rule of thumb is that 5 to 10 percent of the total amount of the bill is suitable. It’s usual to round the amount up (6.70 Euros becomes 7 Euros) and higher amounts are often rounded up to the next unit of ten.

By the way, at restaurants, bars and cafés where you’re served at the table, you don’t usually leave a tip on the table, as you do in many other countries, you add it to the total amount of the bill when the waiter or waitress comes to settle up. Chambermaids, taxi drivers, workmen and hairdressers are also pleased when they’re given a few extra Euros.
In some cases, however, money is taboo. You must never offer a civil servant money. It’s regarded as bribery, even if you just want to show your thanks for the friendly help you’ve been given. In many towns and communities dustmen aren’t allowed to accept money either. Doctors and nurses would be surprised, too. Flowers or chocolates would be appropriate here or you can put some money in the kitty, which is on hand in many businesses and offices.
Incidentally – Harald K. now knows that tipping is unusual in Japan.

10 Unterwegs

In this unit you will learn to talk in situations related to transport:

- reading timetables
- booking a ticket
- understanding announcements

1 Hören und Lesen

▶ 10.01 **Listen to the telephone conversation between Maren and her Polish friend Dorota and read along. What are they talking about? Mark with crosses.**

A ☐

B ☐

C ☐

D ☐

E ☐

F ☐

- Hallo, Maren, wie geht's? Wann zieht ihr denn um?
- Morgen! Dann sind wir keine Hamburger mehr, sondern Heidelberger.
- Na, dann viel Spaß ...
- Ich will nie mehr umziehen! Das ist so anstrengend! Wann besuchst du uns denn in Heidelberg?
- Deshalb rufe ich an. Ich habe vom 3. bis zum 6. Oktober Zeit und kann euch besuchen.
- Super! Wann kommst du an? Und um wie viel Uhr fährst du wieder ab?
- Das weiß ich noch nicht. Ich muss noch eine Fahrkarte buchen. Ich gebe dir Bescheid.
- Einverstanden. Bis dann!

WORDS

umziehen, zieht um, ist umgezogen	*to move (house)*
nie mehr	*never again*
anstrengend	*exhausting*
anrufen, ruft an, hat angerufen	*to call*
abfahren, fährt ab, ist abgefahren	*to leave (depart)*
• Fahrkarte, -n	*ticket*
buchen	*to book*

INFO

In German, a lot of verbs can be extended with a prefix. Their meaning then changes.
an + kommen → **an**kommen (*to arrive*)
mit + kommen → **mit**kommen (*to accompany*)
be + kommen → **be**kommen (*to receive*)

2 Grammatik entdecken: Verben mit Präfix

Fill in the chart. Use the information in exercise 1.

1	Maren	zieht	am nächsten Tag	um.
2	Sie	______	nie mehr	______.
3	Dorota	______	Maren vom 3. bis zum 6. Oktober	______.
4	Deshalb	______	sie Maren	______.
5	Wann	______	Dorota am 3. Oktober in Heidelberg	______?

INFO

Some verbs with prefixes can be separated, others can't. Whether a verb can be separated or not depends on the prefix: for example, **um-, an-, ab-, ein-, zurück-** are separable, **be-, ge-** are not.

3 Gut aussprechen: Betonung

10.02 **a Listen to the words. Which part of the word is stressed? Mark it.**

1 ankommen 2 bekommen 3 besuchen 4 umziehen 5 beginnen 6 abfahren
7 bezahlen 8 einkaufen 9 verdienen 10 zurückgehen 11 gefallen 12 erzählen

b Listen again and repeat.

INFO

When the prefix is stressed, it is a separable verb.

4 Üben: Trennbare und nicht trennbare Verben

a Which of the verbs in 3a can be separated in a sentence and which can't? Write them down.

Separable: ankommen ______

Not separable: bekommen ______

b Now write a full sentence for each verb.

Der Zug kommt um 10:28 Uhr in Zürich an. Ich bekomme jeden Tag viele E-Mails.

______

______

______

______

______

______

______

5 Lesen

Dorota is planning her journey from Dresden to Heidelberg. She has found the following offers. Which connections would you suggest Dorota takes? Make a note of the means of transport, starting point and destination, length of the journey and the price.

FAHRPLÄNE

Hinfahrt

Bahnhof	Zeit	Dauer	Umsteigen	Produkte	Preis
Dresden Hbf.	10:20	5:55	1	ICE, IC	**117,00 EUR** Zur Buchung
Heidelberg Hbf.	16:15				

Details verbergen

Bahnhof	Zeit	Gleis	Produkte	Weitere Informationen
Dresden Hbf.	ab 10:20	3	ICE 1650	Intercity-Express Richtung Wiesbaden Hbf., Bordrestaurant
Frankfurt (Main) Hbf.	an 14:37	6		
Umsteigezeit 43 min				
Frankfurt (Main) Hbf.	ab 15:20	13	IC 2371	Intercity Richtung Karlsruhe
Heidelberg Hbf.	an 16:15	9		

Rückfahrt hinzufügen

nur Hinflug | mit Rückflug

FLUGHAFEN	ZEIT	DAUER	PREIS
Dresden Flughafen (DRS)	ab 11:00	1:05	**132,95 EUR**
Frankfurt am Main (FRA)	an 12:05		

Bushaltestelle	Zeit	Dauer	Preis
Dresden Bf. Neustadt	ab 8:45	11:40	32,90 EUR
Heidelberg Hbf.	an 20:25		

Weitere Infos

WORDS

• Fahrplan, ¨-e	*timetable*
• Hinfahrt, -en	*outward journey*
• Dauer	*length (of journey)*
umsteigen, steigt um, ist umgestiegen	*to transfer*
Hbf. (= • Hauptbahnhof)	*main station*
verbergen, verbirgt, hat verborgen	*to hide*
• Gleis, -e	*platform*
ab	*departing at*
an	*arriving at*
• Richtung, -en	*(heading) to*
• Rückfahrt, -en	*return journey*
• Bushaltestelle, -n	*bus stop*

6 Hören

10.03 **a Which means of transport does Dorota choose? Listen to the second telephone conversation with her friend Maren, when Dorota tells her about her travel plans. Mark with crosses.**

A ☐

• der Zug, ⸚e

B ☐

• die Straßenbahn, -en

C ☐

• die U-Bahn, -en

b Maren tells her husband Stefan about Dorota's schedule. Fill in.

Stefan, Dorota kommt am 3. Oktober zu Besuch. Okay? 17:32

Schön. Wann genau? 17:35

Um 16:15. Mit __________ Zug. Mit __________ Flugzeug kommt man nur bis Frankfurt. 17:38

Klar, Heidelberg hat ja auch keinen Flughafen. ☺ Und mit __________ Auto? 17:40

Sie hat kein Auto – und mit __________ Bus ist man mehr als elf Stunden unterwegs! 17:45

Ach herrje, sollen wir sie abholen? 17:50

Ja, das wäre toll. Dann muss sie nicht noch mit __________ Straßenbahn fahren. 17:54

WORDS

bis	*as far as*
abholen, holt ab, hat abgeholt	*to pick up*

INFO

Compare:
mit dem Bus / **der** Straßenbahn — *by bus / tram*

INFO

man is used when we refer to any random person, when it's unnecessary to specify who exactly we're referring to or when the statement is generally true for everyone. The word **man** is always followed by the 3rd person singular: **Mit dem Bus ist man mehr als elf Stunden unterwegs.**
Notice: **man ≠ Mann.**

7 Über mich

Which means of transport do you use? Write full sentences.

WORDS

regelmäßig	*regularly*

Ich fahre jeden Tag ______________________________.
Ich fahre oft ______________________________.
Ich fahre regelmäßig ______________________________.
Ich fahre manchmal ______________________________.
Ich fahre nur selten ______________________________.

8 Wörter entdecken: Online-Ticket

Dorota books her train ticket online. Try to fill in the form.

Kreditkarte | Großraum | Klasse | Gang | Gesamtpreis | ~~Bahncard~~

Platz am Gang

Bahnhof / Haltestelle	Datum	Uhrzeit	Produkte	Reservierungswunsch
Hinfahrt				
Dresden Hbf. Frankfurt (Main) Hbf.	Do, 03.10.2017	10:20 14:37	ICE 1650	1 Platz in der 2. Klasse, __________, Platz am Fenster
Frankfurt (Main) Hbf. Heidelberg Hbf.	Do, 03.10.2017	15:20 16:15	IC 2371	1 Platz in der 2. ________, Abteil, Platz am __________

Ihre Auswahl

Hinfahrt, 1 Erwachsener, 2. Klasse, Dresden Hbf. – Heidelberg Hbf.

Kombination mit _Bahncard_ möglich. ______________________: **117,00 €**

Zahlung mit ______________, Kartennummer ************0019

9 Hören und Schreiben

▶ 10.04 **a A friend of Dorota's wants to book a train ticket, too. He asks her for some help. Listen and put the different booking steps in the right order.**

WORDS

• (Sitz-)Platz, ¨-e	*seat*
• Abteil, -e	*compartment*
• / • Erwachsene, -n	*adult*

- [ ] • Bankverbindung eingeben
- [1] • Start- und Zielort und • Reisedatum eingeben
- [ ] • Zugverbindung wählen
- [ ] • Sitzplatz wählen
- [ ] • Fahrkarte kaufen

b And now you! Someone you know is new in Germany and wants to book a train ticket from Hamburg to Munich online. Explain how to do it.

Zuerst gibt man den Start- und Zielort und das Reisedatum ein. Dann ____________

____________ _Danach_ ____________

____________ _Dann_ ____________

____________ _Schließlich_ ____________

WORDS

eingeben, gibt ein, hat eingegeben	*to type in*
• Ziel, -e / • der Zielort, -e	*destination*

10 Lesen

Dorota is sitting in the train and comes across an interview in a magazine. Read the text and answer the questions.

1 Was war das Besondere an Bertha Benz?
2 Wie hat Bertha Benz ihrem Mann geholfen?
3 Wie viele Kilometer ist Bertha Benz gefahren?
4 Wie lange hat die Fahrt gedauert?

1. Sie war nicht nur die Frau, sondern auch die Geschäftspartnerin von Carl Benz.

AUTOPIONIERE

Frau Miez, Sie haben ein Buch über Bertha Benz geschrieben. Was hat Sie an Bertha Benz interessiert?
Sie wurde 1849 geboren, da durften Frauen nicht einfach arbeiten. Aber Bertha Benz war nicht nur die Frau, sondern wurde auch die Geschäftspartnerin von Carl Benz.

... der das Auto erfunden hat ...
Richtig, er hat das Auto erfunden, aber ohne seine Frau hätte das niemand gewusst!

Was?
Carl Benz hatte kein Geld und niemand wollte seine Autos kaufen. Da hatte Bertha eine Idee ...

Das klingt spannend ...
Im August 1888 ist sie einfach in das erste Benz-Automobil gestiegen und ist losgefahren. Ohne ihren Mann, nur mit ihren zwei Söhnen. 106 Kilometer von Mannheim nach Pforzheim in Baden.

Damals ein langer Weg ...
Bertha hat einen Tag von morgens bis abends gebraucht. Aber dann hat Carl Benz ein Telegramm bekommen: „Fahrt nach Pforzheim gelungen. Wir sind bei der Oma angekommen."

INFO

Did you know ...
that without Bertha Benz there probably wouldn't be any cars nowadays? She made her husband Carl Benz's invention, the automobile, famous by making a long-distance journey. She used detergent as petrol, repaired a blocked petrol pipe with a hatpin, and when the wooden brakes were in danger of breaking, she had them covered in leather, creating the first brake pads.

INFO

losfahren: Sie fährt **los**.
→ Sie **ist losgefahren**.
In conjunction with a verb the prefix **los** signifies that an activity is starting, for example **losgehen, loslaufen, losfahren** etc.

WORDS

helfen, hilft, hat geholfen	*to help*
sie wurde geboren	*she was born*
sie durften	*they were allowed*
• Geschäftspartnerin, -nen	*business partner (female)*
erfinden, hat erfunden	*to invent*
niemand hätte gewusst	*no one would have known*
• Geld	*money*
niemand wollte	*nobody wanted*
klingen, geklungen	*to sound*
spannend	*exciting*

WORDS

losfahren, fährt los, ist losgefahren	*to set off*
nach	*to*
damals	*in those days*
• Weg, -e	*way*
gelingen, ist gelungen	*to succeed*

10 Ihre Fahrkarte, bitte.

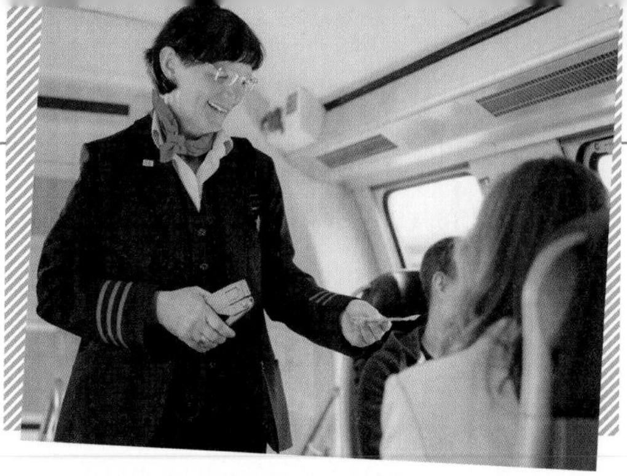

11 Hören und Lesen

▶ 10.05 **Listen to the dialogue, read and fill in.**

- Guten Tag, Ihre ____________________, bitte.
- Hier, bitte.
- Danke. Dann brauche ich noch Ihre ____________________. Danke schön.
- Ist unser Zug pünktlich? Erreiche ich in Frankfurt meinen Anschlusszug?
- Sie wollen nach ... Heidelberg? Leider haben wir im Moment ____________________ Minuten Verspätung ... Aber ja, Ihr Zug wartet. Er fährt von ____________________ ab.
- Das ist gut, vielen Dank für die Information.
- Gern geschehen.

WORDS

pünktlich	*on time*
erreichen	*to catch*
• Anschlusszug, ¨-e	*connection*
• Verspätung, -en	*delay*
Gern geschehen.	*My pleasure.*

12 Hören

▶ 10.06 **a A few minutes before the train arrives in Frankfurt, Dorota hears an announcement. Which items of information are important for her? Listen and mark with crosses.**

1 ☐ Der Zug hat 50 Minuten Verspätung.
2 ☐ Der Anschlusszug nach Hamburg fährt um 15:32 Uhr.
3 ☐ Der Anschlusszug nach Heidelberg ist weg.
4 ☐ Der Anschlusszug nach Basel hat 10 Minuten Verspätung.

WORDS

weg sein	*to have left*

b Listen again. What alternative is given in the announcement? Fill in.

Fahrgäste Richtung Heidelberg sollen mit dem Regionalexpress ____________________ fahren. Der Zug fährt um __________ von Gleis __________ ab.

13 Hören

▶ 10.07 **Dorota is not sure whether she understood the announcement. So when she arrives at Frankfurt, she asks a train guard. Mark the sentences you hear with crosses.**

1 A ☒ Entschuldigung, ich brauche eine Auskunft.
B ☐ Entschuldigung, ich habe eine Frage.
2 A ☐ Ja, der ICE 1650 hatte leider 50 Minuten Verspätung.
B ☐ Ja, der ICE 1650 war leider 50 Minuten zu spät.
3 A ☐ Welchen Zug muss ich jetzt nehmen?
B ☐ Wann fährt der nächste Zug nach Heidelberg?
4 A ☐ Der nächste Zug nach Heidelberg fährt von Gleis 12.
B ☐ Der nächste Zug nach Heidelberg ist der RE 15363 um 16:06 Uhr.

WORDS

• Auskunft, ¨-e	*information*

14 Hören und Sprechen

10.08 **a Anita Seeler works for a car-hire company. What does she need from a customer who wants to hire a car? Listen to the conversation and mark with crosses.**

A ☐

• Gepäck

B ☐
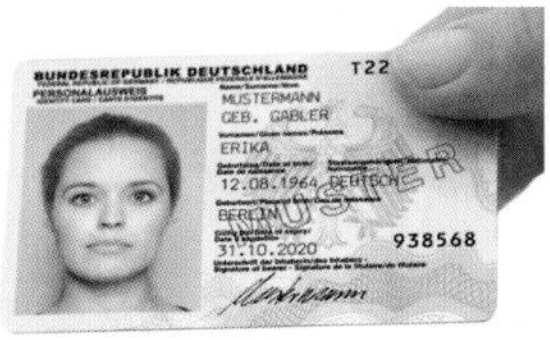

• Personalausweis, -e

C ☐
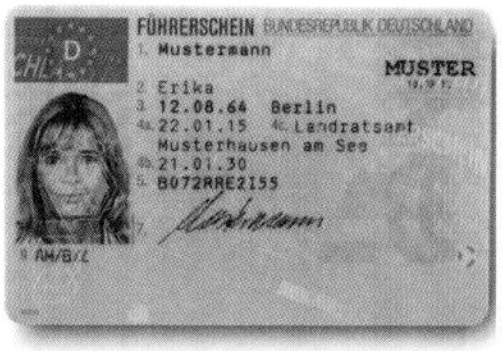

• Führerschein, -e

D ☐

• Schlüssel, -

E ☐

• Kreditkarte, -n

F ☐

• Reisepass, ¨-e

10.09 **b Listen to the conversation with Ms. Seeler and play the customer's role.**

- ...
- Guten Tag, ich möchte ein Auto mieten.
- ...
- Ja, vor zehn Tagen.
- ...
- *Say and spell your name.*
- ...
- Bitte sehr.
- ...
- Brauchen Sie auch meine Kreditkarte?
- ...

WORDS

mieten	*to hire*
vor (zehn Tagen)	*(ten days) ago*

INFO

Driving licences from countries within the European Union are valid with no restrictions in Germany. Driving licences from non-EU countries must be supplemented with an international driving licence.

15 Wörter und Wendungen

a Make a note of six words from this unit that you particularly want to remember.

German	English	German	English

b Translate into German.

1 My pleasure! ____________ **2** the stop ____________
3 the ticket ____________ **4** the direction (heading to) ____________
5 to transfer ____________ **6** the connection ____________

16 Grammatik: trennbare und nicht trennbare Verben

Many verbs can be extended by adding a prefix and thus take on a new meaning. (an**kommen**, mit**kommen**, be**kommen**). In their conjugated form, most prefixes are separated from the verb and added to the end (**ich komme** an, **du kommst** an etc.). These verbs are known as **trennbare Verben** (separable verbs).
Whether a verb is separable or not depends on the prefix. There are prefixes which make a verb
> separable, e.g.: **ab-** (**ab**fahren), **an-** (**an**kommen), **auf-** (**auf**räumen), **aus-** (**aus**füllen), **ein-** (**ein**kaufen), **los-** (**los**fahren), **mit-** (**mit**bringen), **vor-** (**vor**stellen), **zurück-** (**zurück**gehen);
> not separable, e.g.: **be-** (**be**suchen), **ge-** (**ge**fallen), **ent-** (**ent**schuldigen), **er-** (**er**reichen), **ver-** (**ver**missen).
Tip: have you got a good ear? When the prefix of a verb is stressed, it means it's separable (an**kommen**, mit**kommen**). When the prefix is unstressed, the verb is not separable (**be**kom**men**).

When using the **Partizip Perfekt** form of separable verbs, use **-ge-** between the prefix and the verb.
Sie **kommt** in Wien **an.** → Sie **ist** in Wien **an**ge**kommen.**
Paul **räumt** sein Zimmer **auf.** → Paul **hat** sein Zimmer **auf**ge**räumt.**
You already know the rules for building the perfect form of non-separable verbs from Unit 5. Here, **ge-** is not used at all:
Dorota **er**reicht den Zug. → Dorota **hat** den Zug **er**reicht.
So, regular verbs form the **Partizip Perfekt** in three ways:

Verbs without a prefix		
kaufen	Ich **habe** gestern eine Wohnung ge**kauft.**	**ge-** at the beginning
Separable verbs		
einkaufen	Ich **habe** heute Äpfel **ein**ge**kauft.**	**-ge-** between the prefix and the verb
Non-separable verbs		
verkaufen (*to sell*)	Ich **habe** letzte Woche mein Haus **verkauft.**	no **ge-**

17 Grammatik: Wortstellung trennbarer Verben

The separated prefix goes at the end of the sentence. The conjugated verb stays in present tense in second position in the sentence.

Sarah **kauft** am Samstag **ein**. / Paul **räumt** sein Zimmer selten **auf**.

When used in combination with a modal verb, separable verbs are the same as all other verbs – the conjugated modal verb takes second position in the sentence and the separable verb goes at the end of the sentence in infinitive.

Sarah **muss** am Samstag **einkaufen**. / Paul **will** sein Zimmer nicht **aufräumen**.

18 Üben

Put the words in the right order, separate the verbs where necessary and write full sentences.

1 Lena – mitbringen – ein Geschenk

Lena bringt ein Geschenk mit.

2 in Berlin – Wir – ankommen – um 19:30 Uhr

____

3 ihre Freunde – Lisa und Markus – am Samstag – besuchen

____

4 in einer Stunde – wollen – losfahren – Wir

____

19 Üben

Put the verbs into the past form and fill in.

Am Samstag _bin_ ich mit dem Zug nach München _gefahren_ (fahren) (1). Ich ________ vor sechs Monaten ______________ (umziehen) (2) – von München nach Mannheim – und ________ meine Eltern sehr ______________ (vermissen) (3). Deshalb wollte ich sie besuchen. Ich ________ am Freitag noch meine Wohnung ______________ (aufräumen) (4) und ________ am Samstag um 7:00 Uhr ______________ (losgehen) (5). Am Bahnhof ________ ich einen Kaffee ______________ (kaufen) (6). Der Zug ________ um 7:30 Uhr pünktlich ______________ (abfahren) (7), aber in Stuttgart hatten wir 20 Minuten Verspätung. Ich ________ den Anschlusszug nach München nicht mehr ______________ (erreichen) (8). Ich ________ eine halbe Stunde am Hauptbahnhof in Stuttgart ______________ (warten) (9) und ________ mit einer Stunde Verspätung in München ______________ (ankommen) (10). Aber das Wochenende bei meinen Eltern war sehr schön!

10 The Autobahn – an urban legend

Have a guess – what's the maximum speed limit on German motorways?

- **A** ☐ There is no speed limit.
- **B** ☐ 130 kph.
- **C** ☐ The maximum speed limit varies.

"Don't be so timid, put your foot down!" Nearly all learner drivers in Germany hear that on their first ventures onto the motorway. On about 70% of the motorway there's no permanent maximum speed limit. However, it's forbidden to obstruct other drivers by driving too slowly!

"Freie Fahrt für freie Bürger!" (Free driving for free citizens!) German drivers have been successfully using this battle cry against a general speed limit on motorways for decades now. And Germans are certainly used to dealing with speed limits. Besides the many 30 kph zones (approx. 20 mph), the general speed limit within urban areas is 50 kph (approx. 30 mph), on rural roads it's 100 kph (approx. 60 mph) and on 27% of motorways there's a permanent maximum speed limit of, generally, 120 kph (approx. 75 mph) (typically at motorway junctions, turnoffs etc.). On another 65.5% the speed limit varies e.g. at night, when it's raining or when there's heavy traffic.

Road signs regulating speed typically look like this:

And here's the road sign that makes drivers either cry for joy or groan with annoyance, depending on their mood: end of speed limit – the moment you're allowed to put your foot right down on motorways.

However, fast motorists are becoming more and more unpopular. E-bikes are the really hip thing nowadays – and are regularly tuned to increase their maximum speed. And towns that are considering introducing a speed limit on bicycle lanes to protect "classic" cyclists are meeting with huge resistance …

11 Gute Reise!

In this unit you will learn to talk about travel:

> destinations and preferences
> saying what you take on holiday and why
> understanding the weather forecast
> asking the way and giving directions

Wo machen Sie Urlaub?

1 Über mich

What's your favourite place to go on holiday? Mark with crosses.

Orte

☐ am Meer

☐ in den Bergen

☐ in einer Stadt

☐ an einem See

Unterkunft

☐ in einem Hotel

☐ auf einem Campingplatz

☐ in einer Ferienwohnung oder einem Ferienhaus

☐ auf einem Bauernhof

WORDS

• Unterkunft, ¨-e *accomodation*

2 Lesen

Read the text and mark it in three colours: where are the people going? (blue) What form of transport are they using? (green) What accommodation do they have? (yellow)

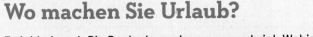

Wo machen Sie Urlaub?

Es ist bekannt: Die Deutschen reisen gern und viel. Wohin? Wir haben Reisende auf Flughäfen, an Bahnhöfen und an der Autobahn befragt.

A

Familie H. aus Erfurt

Wir sind unterwegs an die Nordsee. Nicht mit dem Auto, sondern mit dem Wohnmobil. Das haben wir letztes Jahr gekauft, weil diese Reiseform mit Kindern so praktisch ist:

B

Tilda B., 24, aus Hamburg

Kultur ist mir wichtig. Deshalb mache ich gern Städtereisen. Ich war schon in vielen interessanten Städten und habe nette Leute kennengelernt. Denn ich gehe nicht in ein

C

Henning L., 30, aus Köln

Ich bin auf dem Weg nach Südtirol. Ich fahre gern in die Berge, weil es dort alles gibt, was ich mag: klare Seen, grüne Wälder, interessante Tiere und Pflanzen – und viel Ruhe.

Wir haben unser Hotel dabei und die Campingplätze sind heute alle sehr sauber und modern. Dieses Mal fahren wir auf die Insel Amrum. Wir fahren eigentlich immer ans Meer. Die Kinder können den ganzen Tag am Strand spielen und im Meer baden. Warum wir in den Norden fahren? Weil meine Frau Asthma hat. Für sie ist das Klima im Norden besser als im Süden.

Hotel, sondern übernachte als Couchsurfer bei Privatpersonen. Von ihnen bekomme ich super Tipps zur Stadt. Heute fliege ich nach Dresden. Ich will die Stadt besichtigen und in die Oper gehen. Normalerweise fahre ich in Deutschland mit dem Zug. Aber heute nehme ich das Flugzeug, weil das Flugticket so günstig ist: Es kostet nur 89 Euro.

Mein Lieblingssee ist der Karersee. Dieser See ist ein Muss für jeden Südtirolurlauber. Ich habe zwei Hobbys: wandern und fotografieren. Besonders gern mache ich Fotos von Bäumen. Ich brauche nicht viel, deshalb gehe ich zum Übernachten auf Bauernhöfe. Wie lange die Zugfahrt dauert? Von Köln bis Bozen sind es neun Stunden.

WORDS

reisen	*to travel*
• Wohnmobil, -e	*camper van*
dabeihaben, hat dabei, hat dabeigehabt	*to have with you*
sauber	*clean*
dieses Mal	*this time*
• Strand, ¨-e	*beach*
baden	*to go swimming*
wichtig	*important*

WORDS

übernachten	*to stay*
fliegen, ist geflogen	*to fly*
besichtigen	*to see*
günstig	*cheap/economical*
• Wald, ¨-er	*forest*
• Pflanze, -n	*plant*
• Ruhe	*peace and quiet*
wandern	*to go hiking*

INFO

Do not confuse: **der See** (*lake*), but **die See** (*sea*).

INFO

Wo • machen Sie Urlaub?
An • einem See.
Wohin •→ fahren Sie in Urlaub?
An • einen See.

3 Grammatik entdecken: *Wo und Wohin?*

Fill in. Too hard? You can also find the answers in exercises 1 and 2.

1	*an einen See*	an einem See	2	ans Meer	______
3	______	auf der Insel	4	an den Strand	______
5	______	an der Nordsee	6	in den Norden	______
7	______	in der Oper	8	in ein Hotel	______
9	______	in den Bergen	10	auf Bauernhöfe	______

4 Sprechen

▶ 11.01 **Answer the questions using the words given. You will then hear the right answer. Listen to two examples first.**

1 • Meer **2** • See **3** • Campingplatz **4** • Insel **5** • Hotel **6** • Süden

▪ Wo machst du nächsten Sommer Urlaub?
▪ Am Meer.

▪ Wohin fährst du im Sommer?
▪ Ans Meer.

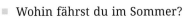

5 Wörter entdecken: Im Reisegepäck

Who in exercise 2 does the luggage belong to? Go back to exercise 2 and fill in the names of the luggage owners.

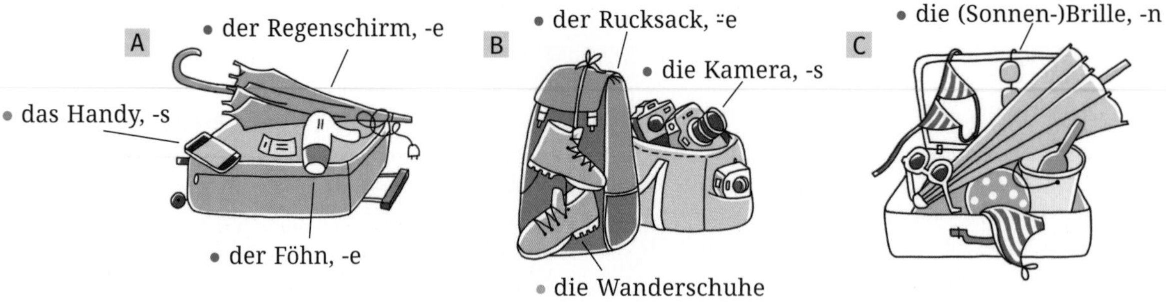

1 Gepäck A gehört ____________, weil sie eine Eintrittskarte in den Koffer gelegt hat.

2 Gepäck B gehört ____________, weil er drei ____________ in die Tasche gepackt hat.

3 Gepäck C gehört ____________, weil ____________ im Koffer ist.

INFO

Notice the position of the verb in clauses with **weil** (*because*):
Das Gepäck gehört Tilda. Sie **hat** eine Eintrittskarte in den Koffer **gelegt**.

Das Gepäck gehört Tilda, **weil** sie eine Eintrittskarte in den Koffer **gelegt hat**.

WORDS

gehören	*to belong*
• Koffer, -	*suitcase*
legen	*to put*
• Tasche, -n	*bag*

6 Üben: *weil*

Put the words in the right order.

Asa1995	**Sommerzeit ist Urlaubszeit. Meine Frage in dieser Woche: Was darf in eurem Gepäck auf keinen Fall fehlen und warum nicht?**
1 Kikka_reist	Ich nehme immer einen Föhn mit, weil es in vielen Hotels keinen gibt. (in vielen Hotels – gibt – keinen – es)
2 YiuPor22	Natürlich mein Handy, weil ____________ (ich – in Kontakt – will – sein – mit meinen Freunden)
3 Geschäftsfrau01	Ein Kopfkissen muss unbedingt mit, weil ____________ (bin – ich – unterwegs – oft lange)
4 shoppingqueen	Ich habe immer einen zweiten Koffer dabei, weil ____________ (auf Reisen – ich – einkaufe – so viel)

WORDS

auf keinen Fall	*under no circumstances*
fehlen	*to be missing*

WORDS

mitnehmen, nimmt mit, hat mitgenommen	*to take with you*
• das Kopfkissen, -	*pillow*
unbedingt	*at all costs*

7 Wörter entdecken: Das Wetter

Asking what the weather is/will be like (*Wie ist/wird das Wetter?*) often plays an important role on holiday. Using your knowledge of English as help, you can probably match up some weather words quite easily.

Es ist sonnig. | Es ist windig. | Es regnet. | ~~Es ist eisig.~~ | Es schneit.

A

Es ist wolkig.

B

______

C

Es ist neblig.

D

______

E
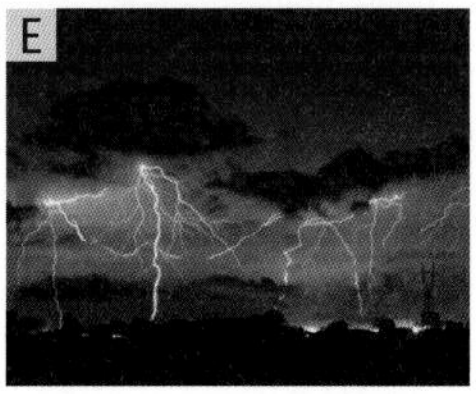
Es gibt ein Gewitter.

F

______

G

Es ist eisig.

H

______

8 Gut aussprechen und richtig schreiben: *-ig*

▶ 11.02 **a Listen and repeat.**

Es ist sonnig. – Es ist windig. – Es ist neblig. –
Es ist eisig. – Es ist wolkig.

INFO

In German, every sentence must have a subject. In impersonal sentences, the word **es** serves as the subject:
Es ist neblig.
Es regnet.

▶ 11.03 **b Fill in *ch* or *g*. Then listen to the weather forecast and compare. Read the text out loud yourself, too.**

Heute ist es in ganz Deutschland sonnig bei Temperaturen zwischen se___zehn und zwanzi___ Grad. Am Nachmittag kommt von Westen Regen. Morgen wird es dann windi___ und es beginnt zu regnen. Im Osten ist Nebel mögli___. Die Temperaturen sinken auf zehn bis zwölf Grad. Auch in den kommenden Tagen ist es ziemli___ kühl.

INFO

-ig is pronounced "ich" [ɪç] at the end of a word or syllable: **Es ist sonnig.** However, between vowels or at the beginning of a syllable, it's pronounced "ig" [ɪg]: **ein sonniger Tag**. In southern Germany, in Austria and in Switzerland, it's always pronounced "ig".

WORDS

• Grad, -e	*degree*
• Osten	*east*
• Nebel	*fog*
sinken, ist gesunken	*to fall*
kühl	*cool*

9 Lesen

Find the answers to the questions in the text.

1 Wo liegt „Nebel“? ______________________

2 Was bedeutet „Nebel“? ______________________

3 Welche anderen Orte in Deutschland haben Wetternamen? ______________________

Auf der beliebten Urlaubsinsel Amrum gibt es ein Dorf mit dem Namen Nebel. Das Dorf heißt aber nicht so, weil es dort so oft neblig ist. Der Name kommt von „nei“ (neu) und „boli“ – das ist altdänisch und bedeutet „Dorf“. Der beliebte Touristenort heißt also ganz einfach „Neudorf“. In Deutschland gibt es übrigens auch die Stadt Regen (in Bayern) und den kleinen Ort Wolken (in der Nähe von Koblenz). Wie ist das Wetter dort wohl?

WORDS

in der Nähe von *near*

10 Hören

▶ 11.04 **a Tilda is couch surfing at Barbara's. She wants to go to the famous *Grünes Gewölbe*, a museum. But there are problems. Listen and fill in.**

1 Heute gehen Tilda und Barbara nicht ins Museum, weil ______________________.

2 Morgen kann Tilda nicht ins Museum gehen, weil ______________________.

3 Übermorgen geht Tilda ins Museum, weil ______________________.

INFO

The treasures belonging to the kings and prince-electors of Saxony are on exhibition at the **Grünes Gewölbe**. Both the **Historisches Grünes Gewölbe** and the **Neues Grünes Gewölbe** are to be found in the **Dresdner Residenzschloss**.

b What's right? Listen again and mark with crosses.

		richtig	falsch
1 Heute scheint die Sonne.	*The sun's shining today.*	☐	☐
2 Heute wird es heiß.	*Today it'll be hot.*	☐	☐
3 Morgen ist es kalt.	*Tomorrow it'll be cold.*	☐	☐
4 Der Wind weht stark.	*There's a strong wind.*	☐	☐
5 Bis zum Wochenende bleibt der Himmel bedeckt.	*It'll be cloudy until the weekend.*	☐	☐

11 Lesen

a Rain at last! Tilda wants to see the *Grünes Gewölbe*. First she reads up about it in her guide book and makes notes. Note down the answers to the questions for her.

1 Wann öffnet das Museum?
2 Was kostet der Eintritt für Neues und Historisches Gewölbe zusammen?
3 Gibt es Führungen? Uhrzeit? Preis? Dauer?
4 Wie komme ich zum Museum?

HISTORISCHES GRÜNES GEWÖLBE UND NEUES GRÜNES GEWÖLBE

Informationen für Besucher · Öffnungszeiten Mi–Mo: 10–18 Uhr, dienstags geschlossen

PREISE

Ticket Historisches Grünes Gewölbe	Ticket Residenzschloss	Kombiticket Residenzschloss mit Ticket Historisches Grünes Gewölbe
Eintrittspreis: 12 Euro inkl. Audioguide Kinder und Jugendliche unter 17 Jahren: frei	gültig für Neues Grünes Gewölbe, Münzkabinett, Fürstengalerie und anderes außer Historisches Grünes Gewölbe Eintrittspreis normal: 12 Euro Ermäßigung: 9 Euro Kinder und Jugendliche unter 17 Jahren: frei	Eintrittspreis: 21 Euro Kinder und Jugendliche unter 17 Jahren: frei

FÜHRUNGEN

Bei der Schlossführung besichtigen Sie das Neue Grüne Gewölbe, die Türckische Cammer und den Riesensaal.
Die Führung dauert ca. 90 Minuten.
Mi – Mo: 11 Uhr und 14 Uhr. Preis: 4,50 Euro pro Person.
Führungen für Gruppen auf Anfrage.

ANREISE MIT ÖFFENTLICHEN VERKEHRSMITTELN

Straßenbahn: Linien 4, 8, 9; Haltestelle: Theaterplatz
Eingang über Taschenberg 2 oder Schlossstraße (Löwentor)

b Read again and mark with crosses.

	richtig	falsch
1 Kinder müssen nichts bezahlen.	☐	☐
2 Im Ticket „Residenzschloss" ist der Eintritt ins Historische Grüne Gewölbe inklusive.	☐	☐
3 Für Gruppen gibt es keine Führungen.	☐	☐

WORDS

• Führung, -en	*guided tour*
• / • Jugendliche, -n	*teenager*
frei	*free*
gültig	*valid*
außer	*except*
• Ermäßigung, -en	*discount*
auf • Anfrage	*on request*
öffentlich	*public*
• Verkehrsmittel, -	*transport*
• Eingang, ¨e	*entrance*

12 Hören

▶ 11.05 **Oh no! Tilda's missed her tram stop. She wants to walk to the museum and asks a passer-by the way. What does he say? Listen and fill in.**

nach circa | links | rechts | geradeaus | Kreuzung

1 Sie gehen bis zur ________________. *Go to the crossroad.*
2 Und dann nach ________________. *And then turn right.*
3 Gehen Sie dann die erste Straße ________________. *Then take the first street on the left.*
4 Gehen Sie immer ________________. *Keep going ahead.*
5 ________________ 300 Metern sehen Sie schon das Residenzschloss. *After about 300 metres you'll see the palace.*

13 Lesen

After the museum: Tilda has more questions. Read the conversations and match. What are the right directions?

WORDS

wieder	*again*
über die Straße	*across the road*
Wie komme ich dorthin?	*How do I get there?*
• Platz, ¨-e	*square*
Ist das weit?	*Is it far?*
zu Fuß	*on foot*

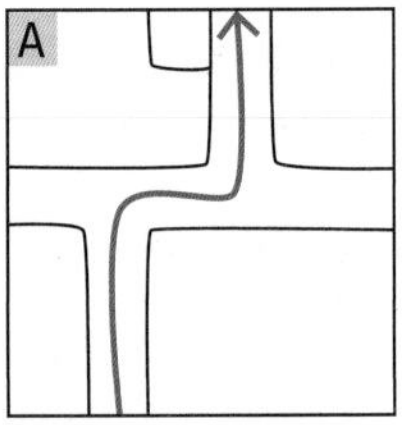

1 ☐
- Entschuldigung, kennen Sie vielleicht ein Café in der Nähe?
- Das Café Schinkelwache ist ganz in der Nähe. Sie gehen gleich die nächste Straße rechts und am Ende wieder rechts. Gehen Sie nach circa 50 Metern über die Straße. Dann stehen Sie direkt vor dem Café.

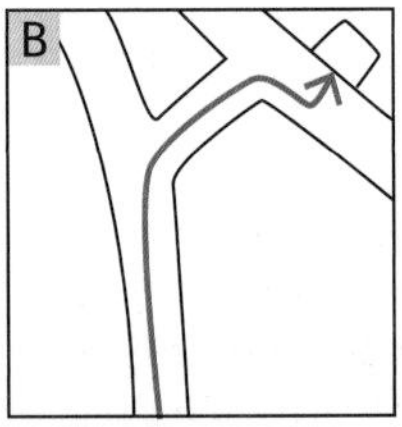

2 ☐
- Ich suche die Frauenkirche. Wie komme ich dorthin?
- Gehen Sie zuerst geradeaus und am Ende nach rechts. Gehen Sie dann die erste Straße nach links. Da sehen Sie schon den Platz mit der Frauenkirche.
- Ist das weit?
- Nein. Zu Fuß sind es circa 5 Minuten.

14 Üben: Einen Weg erklären

a Look at the pictures and write short conversations on a separate piece of paper following the same pattern as in exercise 13.

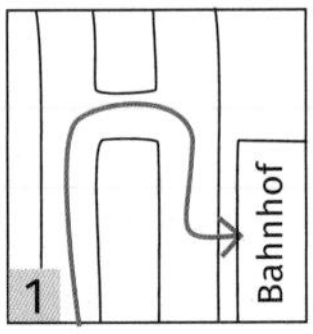

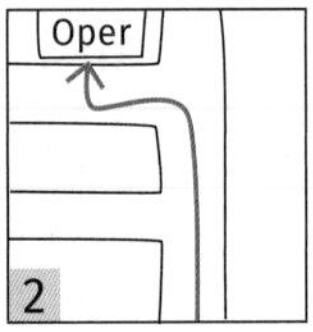

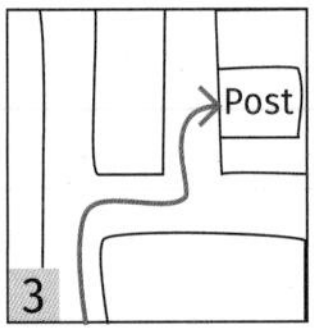

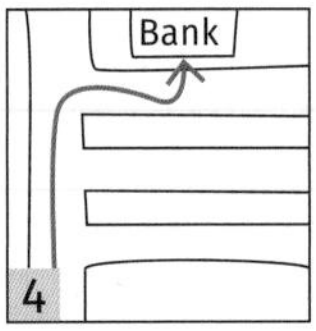

Entschuldigung, ich suche den Bahnhof ...

▶ 11.06 **b Now listen to the questions and give directions using the answers in exercise a as help. You will then hear an example answer.**

15 Lesen

Ms. Hörmann works for the institute *Arbeit und Beruf*. She needs to find a conference hotel in Dresden. She sends an e-mail to several hotels. Read the e-mail and make notes.

1 *What salutation is used in business e-mails and letters?* ____________

2 *How do you ask for an offer?* ____________

3 *How do you ask to be sent some information?* ____________

4 *How do you give thanks in advance for an answer?* ____________

5 *What closing phrase is used in business e-mails and letters?* ____________

An	Touristeninformation
Von	Institut Arbeit und Beruf

Sehr geehrte Damen und Herren,
wir, das Institut *Arbeit und Beruf*, planen eine Konferenz zum Thema „Digitalisierung" und suchen ein Hotel. Bitte machen Sie uns ein Angebot für:
- Termin: Freitag, 12.05. (Beginn: 14:00 Uhr) bis Sonntag, 14.05. (Ende: 14:00 Uhr)
- 50 Einzelzimmer und 10 Doppelzimmer (Übernachtung mit Frühstück)
- 1 Konferenzraum mit Platz für ca. 70 Personen

Für den Konferenzraum brauchen wir einen Beamer, einen Laptop, ein Mikrofon und Internetzugang. Außerdem hätten wir gern Kaffee, Tee, kalte Getränke und Obst für die Teilnehmer.
Für den Samstagnachmittag ist ein Rundgang in Dresdens Altstadt geplant. Bitte senden Sie uns Informationen zu Führungen und Sehenswürdigkeiten.
Vielen Dank im Voraus für Ihre Antwort.
Mit freundlichen Grüßen
S. Hörmann

WORDS

• Einzel-/Doppelzimmer, -	*single/double room*
• Platz	*room/space*
• Internetzugang, ⸚e	*access to internet*
außerdem	*besides/also*
• Teilnehmer, -	*participants*
• Rundgang, ⸚e	*tour*
• Sehenswürdigkeit, -en	*sights*

INFO

English words sound modern to German ears. They are used specially in technology and digital communication, e.g. • **Laptop**, • **Internet**. Germans take their love of English-sounding words to such an extreme that they even invent words that sound English, e.g. • **Beamer** (*projector*), • **Handy** (*mobile phone*).

16 Schreiben

Take a sheet of paper and write an e-mail with the following content.

You're organising a trip to Dresden for your company and need 25 single rooms from 19.9.–23.9. Breakfast and dinner should be included in the offer. You need space for 25 people in the conference room. You don't need any technical equipment. But you would like drinks for the participants. You would like some information about the sights in Dresden. Give thanks in advance and use a closing phrase at the end.

17 Wörter und Wendungen

Translate into German.

1 in the south	______	**2** in summer	______
3 practical	______	**4** the climate	______
5 to send	______	**6** the mobile phone	______
7 the umbrella	______	**8** It's raining.	______
9 It's snowing.	______	**10** the holiday home	______

18 Grammatik: Der Artikel *dies-*

The article **dieser, dieses, diese** (*this*) is formed in the same way as the article **der, das, die**:

- dieser See
- dieses Mal
- diese Reiseform
- diesen Sommer
- in • diesem Hotel
- auf • dieser Insel

19 Grammatik: Wechselpräpositionen

Prepositions are normally used with a fixed case, mostly the dative or the accusative. However, the prepositions **an, auf, hinter, in, neben, über, unter, vor, zwischen** can go with both the dative and the accusative.

When giving a position, they go with the **dative form** (see Unit 7):	But when these prepositions show a direction or a change of place, they go with the **accusative form:**
Wo machen Sie Urlaub?	**Wohin** fahren Sie in Urlaub?
An • **einem** See.	**An** • **einen** See.
Am • Meer.	**Ans** • Meer.
An • **der** Nordsee.	**An** • **die** Nordsee.
In • **den** Bergen.	**In** • **die** Berge.

Tip: Learn frequently used expressions like **in den Bergen – in die Berge** by heart. It's more practical to do that than to always have to think about the right preposition and case. Translating doesn't always help either because the English equivalents don't match the German forms word for word.

20 Üben

Fill in the right form of the definite article.

1 Ah, Sie möchten in _die_ • Oper gehen! Okay, gehen Sie geradeaus, an ______ • Ecke nach links und nach 100 Metern über ______ • Straße. Dann stehen Sie direkt vor ______ • Oper.

2 Nur i______ • Haus sitzen, das ist nicht gut. Gehen Sie am Wochenende vor ______ • Tür. Wir gehen am Sonntag gern an ______ • Huber See. A______ • See ist es wunderbar ruhig.

3 Die Flugtickets liegen noch auf ______ • Tisch. Legst du sie bitte auf ______ • Tasche?

4 Schleswig-Holstein ist das Land zwischen ______ ● Meeren. I______ ● Westen liegt die Nordsee, i______ ● Osten die Ostsee. Fahren Sie einmal an ______ ● Strände. Sie sind fantastisch.

5 Kommen Sie mit uns an ______ ● Seen von Mecklenburg-Vorpommern, in ______ ● Schwarzwald oder in ______ ● Berge Österreichs und Südtirols.

6 Gehen Sie hinter ______ ● Haus. Dort sind Bäume. Die Kinder können auf ______ ● Bäume klettern.

21 Grammatik: Nebensätze mit *weil*

Sentences with **weil** (*because*) give a reason for something, i.e. you're answering the question **Warum?** (*Why?*). **Weil** introduces a subordinate clause and the verb moves from position 2 to the end of the sentence:

Meine Frau **hat** Asthma. → Wir fahren in den Norden, **weil** meine Frau Asthma **hat**.
Die Kinder **können** am Strand **spielen**. → Wir fahren ans Meer, **weil** die Kinder am Strand **spielen können**.
Ich **kaufe** auf Reisen viel **ein**. → Ich nehme einen zweiten Koffer mit, **weil** ich auf Reisen viel **einkaufe**.
Tilda **hat** eine Eintrittskarte in den Koffer **gelegt**. → Das Gepäck gehört Tilda, **weil** sie eine Eintrittskarte in den Koffer **gelegt hat**.
Reminder: **denn** (see Unit 7) also gives a reason for what you've just said but the word order is subject – verb.
Wir fahren in den Norden, **denn meine Frau hat** Asthma.
In every-day speech, the verb is often used in position 2 after **weil**. However, this is actually incorrect. And in contexts where it's important to express oneself correctly (e.g. when giving a talk) or in writing, it's not allowed at all. It's recommended to practice putting the verb at the end of the clause.

22 Üben

Join the sentences using *weil*.

1 Wir packen die Koffer. Wir fahren morgen in Urlaub.
Wir packen die Koffer, weil wir morgen in Urlaub fahren.

2 Wir nehmen einen Sonnenschirm mit. Wir machen Urlaub am Meer.
____

3 Ich fahre zum Flughafen. Ich hole eine Freundin ab.
____

4 Holger macht nie Urlaub am Meer. Er kann nicht schwimmen.
____

5 Boris und Maria joggen gern im Wald. Dort ist es ruhig und kühl.
____

11 Germany's attractions

A

B

C

Have a guess – what's the most visited tourist attraction in Germany?

Cindy from Shanghai keeps on pressing the shutter release. Another photo. And another. She just can't get enough. "I came specially for the castle. For me it's a symbol of Europe." **Neuschwanstein** (photo C) really is a place many foreign tourists dream of visiting. In their eyes, the castle represents Germany the way the Eiffel Tower represents France or the Statue of Liberty New York. Although there's a rumour going round, particularly among Americans, that the Germans copied Neuschwanstein Castle from film-maker Walt Disney, the opposite is of course true. Neuschwanstein served Walt Disney as the model for the castles in his fairy-tale films and theme parks. It's even visible in the logo of his production company. The man who really built the castle was called King Ludwig II, also known as the **Märchenkönig** (*fairy-tale king*). The shy, unsociable king had it built in the 19th century as a safe haven in the lonely mountains of Bavaria. There's nothing lonely about the castle nowadays. Almost 1.5 million visitors come to Neuschwanstein every year.

So, is Neuschwanstein Castle the most visited tourist attraction? At least that's what the woman who said "Neuschwanstein" on a quiz show thought – and lost 50,000 Euros. For the **BMW Welt** (photo B), a car museum in Munich, has twice as many visitors as Neuschwanstein with up to 3 million a year.

People outside Bavaria are not exactly happy about the idea that Neuschwanstein = Germany. Because other regions have plenty of tourist attractions to offer, too. The capital Berlin, where you can visit the **Berliner Reichstag** (photo A), the place where the German parliament meets, is definitely well worth a visit. But where is the most visited tourist attraction in Germany? In cheerful Cologne, of course! The **Kölner Dom** (photo D) has 6 million visitors a year – you can't top that.

D

12 Was tut weh?

In this unit you will learn to talk in situations to do with illness and going to the doctor's:

> saying where something hurts
> understanding a doctor's advice and instructions
> describing how an accident happened

12 Du solltest zum Arzt gehen.

1 Wörter entdecken: Körperteile

Try to match the words and the parts of the body.

• Hand, ¨-e • Fuß, ¨-e • Arm, -e • ~~Rücken, -~~ • Mund, ¨-er • Nase, -n • Ohr, -en

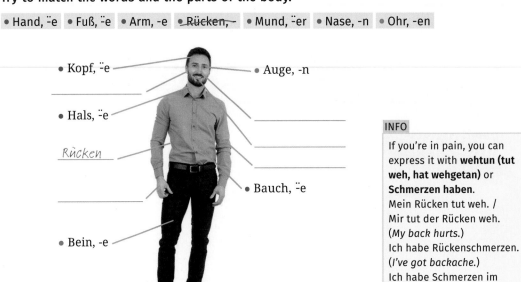

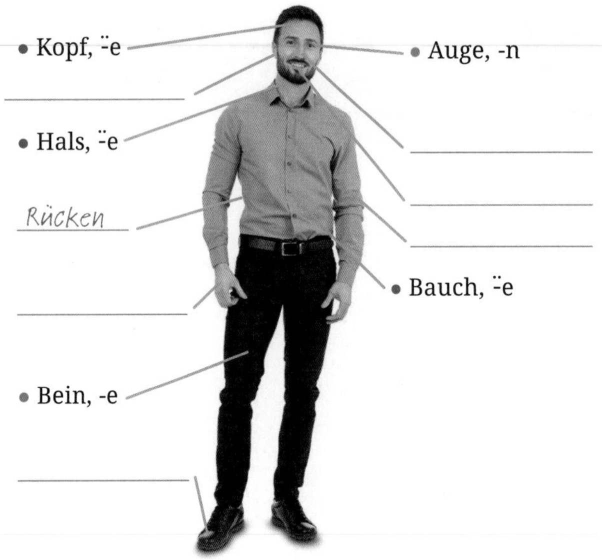

INFO

If you're in pain, you can express it with **wehtun (tut weh, hat wehgetan)** or **Schmerzen haben**.
Mein Rücken tut weh. / Mir tut der Rücken weh. (*My back hurts.*)
Ich habe Rückenschmerzen. (*I've got backache.*)
Ich habe Schmerzen im Rücken. (*I've got a pain in my back.*)

2 Hören

▶ 12.01 **Friends Samira, Linus, Emilia, Lena and Marco want to go to the cinema. When they meet up they realise that none of them is feeling very well. What hurts? Listen to the conversation and match the names to the aches and pains.**

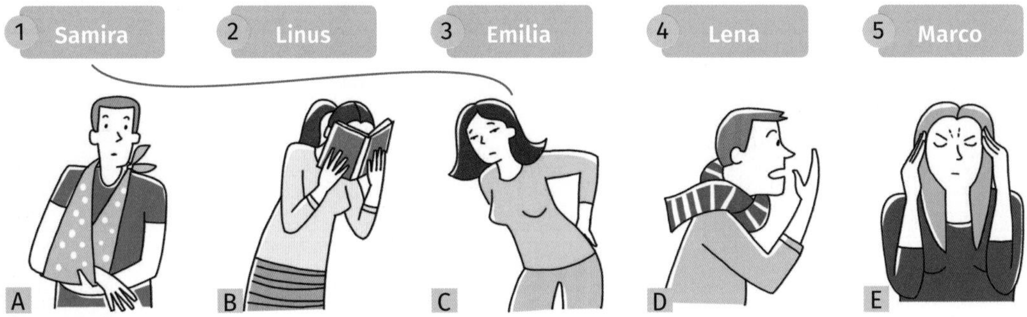

3 Lesen

Marco asks his friends for advice. What advice do they give him? Read the messages and make notes.

Marco sollte ins Bett gehen. Er sollte eine

Er könnte ______.

______.

Marco 20:05
Hallo, ich bin krank: Ich habe Halsschmerzen, Husten, Schnupfen und seit gestern Fieber. Was kann das sein?

Nora 20:12
Eine Erkältung?!? ☺ Du solltest ins Bett gehen und eine Schmerztablette nehmen. Du könntest es auch mit Zitronentee und Menthol-Öl probieren.

Marco 20:15
Habe ich schon probiert! Ich liege seit zwei Tagen im Bett und mein Hals tut heute mehr weh als vor zwei Tagen ... ☹

Timo 20:21
Wie hoch ist denn das Fieber?

Marco 20:23
39° C. Mir geht es wirklich nicht gut.

Timo 20:25
39° C? Dann solltest du zum Arzt gehen.

Marco 20:27
Okay, ja, das mache ich. Vielen Dank für eure Tipps.

WORDS

krank	*ill*
• Halsschmerzen	*a sore throat*
• Husten	*a cough*
• Schnupfen	*a runny nose*
• Fieber	*fever*
• Erkältung, -en	*a cold*
• Schmerztablette, -n	*a painkiller*
es probieren mit	*to try with*
hoch	*high*

INFO

You can give advice like this:
Du **solltest** zum Arzt **gehen**.
Du **könntest** Zitronentee **trinken**.

4 Sprechen

a **What would you recommend for which problems? Mark them.**

1 Halsschmerzen
- ☐ Zitronentee trinken
- ☐ im Bett singen

2 Kopfschmerzen
- ☐ ein warmes Bier trinken
- ☐ nicht so viele Filme gucken

3 Schnupfen
- ☐ schwimmen gehen
- ☐ Menthol-Öl nehmen

4 Bauchschmerzen
- ☐ es mit einer Wärmflasche probieren
- ☐ einen Whiskey trinken

5 Fieber
- ☐ joggen gehen
- ☐ ins Bett gehen

▶ 12.02 b **Now it's your turn to give some advice from exercise a. You will then hear a model answer. Listen to an example first.**

■ Ich habe Halsschmerzen! ■ Du könntest Zitronentee trinken.

5 Hören

▶ 12.03 **a Marco goes to the doctor's. Listen to the conversation at the practice reception. What does he have to do? Mark with crosses (there are several possible answers).**

Marco soll ...

1 ☐ ... ein Formular ausfüllen.
2 ☐ ... im Wartezimmer warten.
3 ☐ ... ins Sprechzimmer gehen.
4 ☐ ... seine Versicherungskarte zeigen.

WORDS

• Formular, -e	*form*
• Sprechzimmer, -	*consulting room*
• Versicherungskarte, -n	*insurance card*
zeigen	*to show*

INFO

In Germany, you only go to a hospital when you're seriously ill or hurt. The many doctors' practices in all towns and cities are responsible for every-day treatment and after-treatment of injuries. Most people have a **Hausarzt** (general practitioner), who is their first port of call for any medical complaints. In life-threatening emergencies, you can reach an emergency doctor by dialing **112**, like everywhere else in Europe.

▶ 12.04 **b While Marco is filling in his personal information, the doctor's assistant takes a few calls. What does each caller want? Listen and draw lines.**

1 Mia Lehmann	a einen Termin vereinbaren
2 Claudia Römer	b einen Termin absagen
3 Achim Leiber	c einen Termin verschieben

WORDS

absagen, sagt ab, hat abgesagt	*to cancel*
verschieben, hat verschoben	*to postpone*
früher	*sooner*
dringend	*urgent*
erst	*not until*

6 Üben: Termine

What do the phrases express? Put them under the right heading.

~~Ich möchte gern einen Termin vereinbaren.~~ Geht es nicht früher? Es ist wirklich dringend! ~~Könnte man den Termin bitte verschieben?~~ Es tut mir sehr leid, aber ich muss den Termin absagen. Ich kann morgen leider nicht kommen. Kann ich an einem anderen Tag kommen? Haben Sie einen Termin frei? Ich habe einen Termin am Dienstag. Könnte ich vielleicht erst am Donnerstag kommen? Am Mittwoch kann ich leider nicht kommen. Ich rufe wieder an. Am Montag geht es leider nicht. Kann ich auch am Dienstag kommen? Ich brauche bitte dringend einen Termin. Entschuldigen Sie bitte die Absage, es tut mir sehr leid.

um einen Termin bitten	einen Termin absagen	einen Termin verschieben
Ich möchte gern einen Termin vereinbaren.		*Könnte man den Termin bitte verschieben?*

7 Hören und Lesen

▶ 12.05 a **Marco is surprised to see Lena in the waiting room. Listen to the conversation, read along and answer the questions.**

1 Warum ist Lena gestürzt? ______________________________

2 Wohin war sie unterwegs? ______________________________

▪ Lena, was machst du denn hier? Was ist passiert?
▪ Ich hatte einen Unfall. Ich sehe doch so schlecht, deshalb musste ich zum Optiker. Ich wollte eine neue Brille kaufen.
▪ Endlich! Das sage ich dir schon lange!
▪ Ich weiß. Meine Augen sind so schlecht, aber ich wollte unbedingt Samiras neues E-Bike testen.
▪ Lena ...
▪ Samira liebt ihr Fahrrad und ich durfte damit fahren! Da konnte ich nicht Nein sagen! Ich habe nur kurz nicht aufgepasst.
▪ Und dann?
▪ Ein Hund ist auf die Straße gelaufen. Ich habe ihn zu spät gesehen, wollte ausweichen und bin gestürzt.
▪ Oje, das tut mir sehr leid. Dein Arm ist gebrochen, oder?
▪ Ja, und mein Bein hat stark geblutet.
▪ Und eine neue Brille ...?
▪ ... habe ich immer noch nicht!

WORDS

stürzen	*to fall*
passieren, ist passiert	*to happen*
• Unfall, ¨-e	*accident*
• Optiker, -	*optician*
endlich	*at last*
aufpassen, passt auf, hat aufgepasst	*to be careful*
ausweichen, weicht aus, ist ausgewichen	*to swerve*
brechen, bricht, ist gebrochen	*to break*
bluten	*to bleed*

b **Read the dialogue again and mark with crosses.**

	richtig	falsch
1 Lenas Augen sind nicht gut.	☐	☐
2 Lena wollte ihr neues Fahrrad testen.	☐	☐
3 Sie hat sich das Bein gebrochen.	☐	☐
4 Sie hat jetzt eine neue Brille.	☐	☐

c **What forms of *wollen, müssen, dürfen* and *können* can you find in the conversation? Mark them in the text.**

INFO

Notice the past form of the modal verbs:
ich muss → ich muss**te** (*I had to*)
ich will → ich w**o**ll**te** (*I wanted to*)
ich darf → ich d**u**rf**te** (*I was allowed to*)
ich kann → ich k**o**nn**te** (*I could*)

8 Hören und Lesen

▶ 12.06 **Marco is called into the consulting room. Listen to the conversation between Marco and Doctor Nowak and read along. What does the doctor prescribe? Mark with a cross.**

A
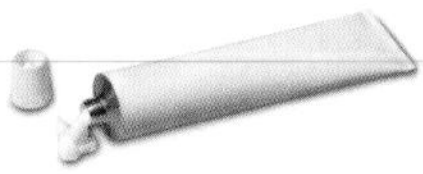
☐ • Salbe, -n

B
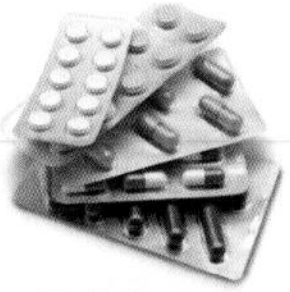
☐ • Tablette, -n

C

☐ • Pflaster, -

D

☐ • Verband, ¨-e

E
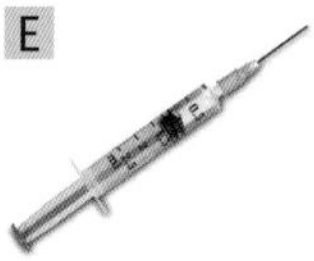
☐ • Spritze, -n

F

☐ • Hustensaft, ¨-e

■ Guten Tag, Herr Engels. Wie geht es Ihnen?
■ Nicht so gut. Ich habe seit zwei Tagen Halsschmerzen und Fieber.
■ Öffnen Sie bitte einmal den Mund. ...
■ Was habe ich denn?
■ Eine Mandelentzündung. Ich schreibe Ihnen ein Rezept für ein Antibiotikum.
■ Okay ...
■ Bitte sehr. Nehmen Sie bitte dreimal am Tag zwei Tabletten. Und trinken Sie bitte viel Tee. Schonen Sie Ihren Hals und sprechen Sie nur wenig.
■ Aber ich muss zur Arbeit!
■ Bleiben Sie bitte im Bett. Ich schreibe Sie drei Tage krank, dann kommen Sie wieder zu mir.
■ In Ordnung.
■ Das Rezept und die Krankschreibung bekommen Sie an der Rezeption. Auf Wiedersehen.
■ Auf Wiedersehen.

WORDS

öffnen	*to open*
• Mandelentzündung, -en	*tonsilitis*
• Rezept, -e	*prescription*
schonen	*to look after*
krankschreiben, schreibt krank, hat krankgeschrieben	*to write someone off sick*
• Krankschreibung, -en	*doctor's certificate*

9 Grammatik entdecken: Imperativ

a **What instructions does the doctor give? Mark in exercise 8.**

INFO
You can use the imperative to give instructions, orders or strong advice.
Sie kommen → Kommen **Sie**!

▶ 12.07 b **Is it a question or an instruction? Listen carefully and add exclamation marks (!) or question marks (?).**

1 Trinken Sie Tee___
2 Nehmen Sie oft Tabletten___
3 Fahren Sie ins Krankenhaus___
4 Schreiben Sie mich krank___

10 Lesen

a Read Marco's grandmother's home recipe for deep, unbroken sleep. What makes you sleep particularly well?

A ☐ warme Milch
B ☐ warmes Bier
C ☐ warmes Wasser

Zwiebelmilch
Mach 250 ml Milch warm. Dann schäl eine große Zwiebel und schneide sie in zwei Teile. Jetzt leg die Zwiebel in die Milch und koch sie für 15 Minuten. Nimm die Zwiebel aus der Milch und gieß die Milch in eine Tasse. Rühr noch etwas Honig ein, trink die Milch und schlaf gut.

WORDS

• Zwiebelmilch	*onion milk*
schälen	*to peel*
schneiden, hat geschnitten	*to cut*
• Teil, -e	*part*
gießen, hat gegossen	*to pour*
einrühren, rührt ein, hat eingerührt	*to mix in*
• Honig	*honey*

INFO
aus is a preposition used with the dative form:
• **die** Milch → aus **der** Milch (*out of the milk*)

b Mark all the words in the text which give an instruction. Then fill in.

1 du legst → *Leg!*
2 du kochst → ______!
3 du nimmst → ______!

INFO
~~Du~~ mach~~st~~ → Mach!
Aber: ~~Du~~ schläf~~st~~ → Schlaf!
~~Du~~ schneid**est** → Schneide!

c Fill in using the same pattern.

1 Du gehst später ins Bett. → *Geh später ins Bett!*
2 Du trinkst einen Kakao. → ______!
3 Du nimmst ein Fußbad. → ______!
4 Du kommst pünktlich. → ______!
5 Du besuchst deine Eltern. → ______!

WORDS
• Fußbad, ¨-er *footbath*

11 Üben: Bitten und Aufforderungen

Turn the advice into polite orders.

1 Du solltest zum Arzt gehen. → *Geh doch bitte zum Arzt!*
2 Du solltest im Bett bleiben. → ______!
3 Du solltest etwas schlafen. → ______!
4 Du könntest es mit Zwiebelmilch probieren. → ______!
5 Du könntest deine Mutter anrufen. → ______!

INFO
The "pure" imperative is not very friendly. So it's usually used in combination with words like **(doch) bitte (mal)**.
Kommen Sie **bitte**. Komm **doch bitte**. Komm **doch bitte mal**.

12 Hören und Lesen

▶ 12.08 a **Marco goes to the chemist to get the medicine he's been prescribed. Listen to the conversation, read and mark the right answer with a cross.**

1 Das Antibiotikum ist ...
A ☐ stark.
B ☐ schwach.

2 Marco geht es ...
A ☐ ziemlich gut.
B ☐ ziemlich schlecht.

3 Wie viele Tabletten soll Marco jeden Tag nehmen?
A ☐ Drei.
B ☐ Sechs.

WORDS

schwach	*weak*
einlösen, löst ein, hat eingelöst	*to redeem*
aussehen, sieht aus, hat ausgesehen	*to look*
hoffen	*to hope*
hoffentlich	*hopefully*
bald	*soon*
schnell	*quickly*
holen	*to get*

- Guten Tag, ich möchte dieses Rezept einlösen.
- Gern. Sie sehen aber nicht gut aus. Ich hoffe, es ist nichts Schlimmes.
- Ich habe eine Mandelentzündung. Mein Hals tut ziemlich weh.
- Oje, das tut mir leid. Hoffentlich geht es Ihnen bald wieder besser.
- Hoffentlich ... Sagen Sie, ist das Antibiotikum eigentlich stark?
- Ja, damit ist schnell alles wieder in Ordnung. Ich hole es.
- Vielen Dank.
- Bitte sehr. Das macht dann 8,90 Euro. Sie wissen, wie Sie das Antibiotikum nehmen müssen?
- Dreimal am Tag zwei Tabletten, hat der Arzt gesagt.
- Gut. Ich wünsche Ihnen gute Besserung. Auf Wiedersehen.
- Auf Wiedersehen.

b **Translate into German. You will find all the sentences in the conversation in exercise a.**

1 *I hope it's nothing serious.*

____

2 *I'm sorry to hear that.*

____

3 *Hopefully you'll feel better soon.*

____

4 *This will make everything fine again quickly.*

____

5 *Get well soon.*

____

▶ 12.09 c **Karaoke: Listen to what the chemist says and play Marco's role.**

13 Hören

12.10 **Marco is still ill after three days. He gives his colleague Samira a quick ring. What do they agree to do? Listen to the conversation and mark with a cross.**

A ☐ Marco kommt morgen wieder ins Büro.
B ☐ Samira übernimmt Marcos Termin.
C ☐ Der Termin mit der Firma LilaBlau findet erst am Montag statt.

WORDS

stattfinden, findet statt, hat stattgefunden	*to take place*

14 Schreiben

Marco also writes a message to his boss. Read and fill in the message.

sie übernimmt morgen meinen Termin | wieder im Büro | bis Freitag krankgeschrieben | mit Frau Kurz

WORDS

schicken	*to send*
wahrscheinlich	*probably*

An Dr. Müller
Von Marco Engels

Sehr geehrter Herr Dr. Müller,
leider bin ich noch ______________________.
Die Arbeitsunfähigkeitsbescheinigung schicke ich Ihnen per Post. Ich habe schon
______________________ telefoniert,
______________________ mit der Firma LilaBlau.
Am Montag bin ich wahrscheinlich ______________________.
Mit freundlichen Grüßen
Marco Engels

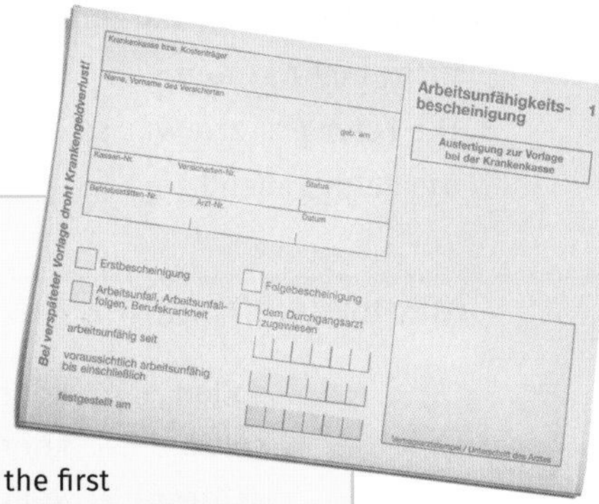

INFO

If a worker is sick, their salary is paid by their employer for six weeks in Germany. So the worker must inform their superior of their illness immediately by e-mail or telephone. The doctor issues an **Arbeitsunfähigkeitsbescheinigung** (certificate of incapacity for work), which is known as a **Krankschreibung** (doctor's certificate) in everyday German. It provides the worker with proof of their illness. The certificate consists of three pages – the first page is for the doctor's files, the second is for the employer and must be presented by the third day of illness at the very latest. The third page must be sent to the health insurance company without delay.

15 Wörter und Wendungen

Your words. Which parts of the body do you want to remember in German? Make a note of them.

German	English	German	English
______	______	______	______
______	______	______	______
______	______	______	______

16 Grammatik: Präteritum der Modalverben

Modal verbs in past are mostly used in **Präteritum** and not in **Perfekt** (see **haben** and **sein** in Units 5 and 7).

	müssen	**dürfen**	**können**	**wollen**	**sollen**
ich	muss**te**	durf**te**	konn**te**	woll**te**	soll**te**
du	muss**test**	durf**test**	konn**test**	woll**test**	soll**test**
er/es/sie	muss**te**	durf**te**	konn**te**	woll**te**	soll**te**
wir	muss**ten**	durf**ten**	konn**ten**	woll**ten**	soll**ten**
ihr	muss**tet**	durf**tet**	konn**tet**	woll**tet**	soll**tet**
sie/Sie	muss**ten**	durf**ten**	konn**ten**	woll**ten**	soll**ten**

Notice that the first and third person forms are identical in **Präsens** and **Präteritum** as well as in singular and plural.

17 Üben

Fill in the verb in *Präteritum*.

1 Als Kind ______________ (dürfen) ich nicht allein ins Wasser.
2 Am Wochenende hat mir der Fuß so wehgetan. Ich ______________ (können) nicht mehr laufen.
3 Die Feier gestern war so schön. ______________ (müssen) ihr wirklich schon um zehn gehen? ______________ (wollen) ihr nicht länger bleiben?

18 Grammatik: Konjunktiv II von *sollen* und *können*

	sollen	**können**
ich	soll**te**	könn**te**
du	soll**test**	könn**test**
er/es/sie	soll**te**	könn**te**
wir	soll**ten**	könn**ten**
ihr	soll**tet**	könn**tet**
sie/Sie	soll**ten**	könn**ten**

You can use the second conditional form (see also Unit 9) of the verbs **sollen** and **können** to give advice and make suggestions.

In the second conditional form, the conjugated modal verb also takes second position in the sentence and the infinitive goes at the end of the sentence.

Du **solltest** ins Bett **gehen**.

Wir **könnten** Zitronentee **trinken**.

19 Üben

Fill in the advice in the correct (conjugated) form.

1 Wir waren gestern Fisch essen. Heute geht es uns nicht besonders gut. Jonas sagt, wir ______________ (sollen) unbedingt zum Arzt gehen.
2 Ihr ______________ (können) natürlich auch einfach ins Bett gehen. Vielleicht hilft das.
3 Ich sehe schon lange nicht gut. Ich ______________ (sollen) zum Optiker gehen.
4 Du ______________ (können) natürlich auch immer zu Fuß gehen.

20 Grammatik: Imperativ

The imperative is used for instructions, orders and also for advice. With the imperative you address an individual person or a group directly.

	Declarative sentence		**Imperative sentence**	
du form	~~du~~ komm~~st~~	you come	Komm!	Come!
ihr form	~~ihr~~ kommt	you come	Kommt!	Come!
polite form	Sie kommen	you come	Kommen **Sie**!	Come!

> Verbs which change their root vowel from **a → ä** (**fahren → du fährst,** see Unit 2) do not make this change in imperative: **du fährst → Fahr!**

> If the root of the word ends in **-d** or **-t**, an -e is added in the imperative form: **warten → Warte!**

Careful: the verb **sein** is irregular in its imperative form!
du bist → **Sei** ruhig! ihr seid → **Seid** ruhig! Sie sind → **Seien Sie** ruhig!

The imperative form always takes first position in a sentence.
Geh bitte endlich zum Arzt! **Nehmen Sie** bitte drei Tabletten.

The separated prefix goes at the end of the sentence.
Ruf doch bitte deine Mutter **an**!

The imperative is usually combined with **bitte**. This makes it sound friendlier.

12 On the safe side

What do you think you can't insure yourself against in Germany?

- **A** ☐ Kidnapping by aliens
- **B** ☐ Wife/husband-to-be running off before the wedding
- **C** ☐ Your favourite football team going down to a lower division
- **D** ☐ Insurance companies not paying out

The Germans are a safety-conscious people. They have 452 million insurance policies among a population of 81 million. Every German spends € 2,200 a year on insurance. You can insure yourself against fire, earth-quakes, floods, occupational disability, all sorts of accidents and even kidnapping. And quite a few people actually have an insurance policy against kidnapping by aliens, their favourite football team going down to a lower division or their wife/husband-to-be running off before the wedding in their portfolio. And incidentally, the tourist board of Loch Ness has also taken out insurance in Germany – against the monster ever being found. However, it's mandatory to have unemployment insurance as well as retirement, care and health insurance. The aim is that major changes to life, such as a serious illness or unemployment, shouldn't mean that someone is wiped out financially. Speaking of illness, in Germany you have either private or national health insurance. Private insurers pay doctors more per treatment, so the first question you hear when you want to make an appointment with a doctor is **"Wie sind Sie denn versichert?"** (What insurance do you have?).

What about the risk of an insurance company not paying out when you need it? You can never rule that out completely. You should always read the small print, too. Also, you shouldn't be surprised if the insurance company throws you out after you've made a claim, or if your premiums rise considerably the following year.

An insurance policy against insurance companies not paying out is every policyholder's dream but, sadly, has not yet come true ...

You've now mastered twelve units, well done! You have a really good command of German now and are bound to understand the third part of our serial with no problems at all. If you can't remember exactly what happened in parts 1 and 2 (after Units 4 and 8), by all means read them again!

Freitag, der 13. (Teil 3)

6:10 Uhr morgens in Hamburg

Es ist neblig und mir ist kalt. Trotzdem gehe ich los, denn die Textnachricht ist klar: Hansestraße 21, 6:30 Uhr. Ich habe 20 Minuten Zeit. Dann weiß ich hoffentlich endlich, wer diese Nachrichten schreibt – und wer das schlechte Obst geschickt hat! Ich rufe Oma Viola an. Tuut, tuut, tuut ... – nichts. Oma Viola ist nicht da. Was mache ich jetzt? Zuerst in die Hansestraße. Woher kenne ich nur diese Adresse? Na ja, das ist jetzt nicht wichtig. In einer Stunde fährt das Schiff ab!

„Hey, Lukas, warte auf uns!" Tarik und Ilena? Warum sind die zwei nicht auf dem Schiff und bereiten das Frühstück für die Gäste vor? „Wohin willst du denn? Zum Markt musst du nach links, nicht geradeaus", sagt Tarik. „Lauf nicht so schnell, es ist Freitag, der 13. – du weißt, das ist kein Glückstag. Außerdem ist es neblig und man sieht keine zwei Meter weit."

Freitag, der 13.? Der perfekte Tag für Unfälle, Verspätungen, alles Schlechte. Das passt. Ich erzähle Tarik und Ilena von den Textnachrichten. „Deshalb muss ich in die Hansestraße. Aber vielleicht könnt ihr unserem Chef Bescheid geben?"

„Für Jacques ist das Obst wichtig, sonst nichts. Warum es schlecht ist, ist ihm nicht wichtig", sagt Ilena. „Und allein gehst du sicher nicht dorthin. Wir kommen mit."

„Das geht nicht! Die Nachricht sagt *allein*."

„Wir passen schon auf", sagt Ilena. Ich bin froh. Tarik und Ilena sind echte Freunde. Wir nehmen den Bus in Richtung Hansestraße.

„Wo wohnst du eigentlich? Hier in Hamburg?", fragt Tarik. „Wir sind ja immer unterwegs, man weiß fast nichts über den anderen."

„Nein, ich habe keine Wohnung mehr in Hamburg. Aber meine Eltern und meine Oma Viola wohnen hier. Und meine Freundin."

„Du hast eine Freundin? Das hast du uns nie erzählt! Wie heißt sie denn? Wie lange kennst du sie schon?", fragt Ilena.

„Sina. Ich habe sie beim Hamburger Hafengeburtstag kennengelernt. Ich war dort als Koch auf einem Schiff und Sina wollte das Schiff besichtigen. Ich habe sie gesehen und gedacht: Wow! Ich habe ihr das Schiff gezeigt – und danach durfte ich sie ins Restaurant von Oma Viola einladen. Jetzt sind wir schon zwei Jahre zusammen."

„Das ist schnell gegangen." Tarik lacht. „Und deine Oma hat in Hamburg ein Restaurant?"
„Ja, dort durfte ich mit zwölf Jahren mein erstes Schnitzel mit Bratkartoffeln machen. Dem Gast hat es gut geschmeckt – und ich wollte nur noch Koch sein."
„Wo ist denn das Restaurant?", fragt Tarik.
„Nicht weit von hier. In der ... Hansestraße!" Mir ist eisig kalt. Was bedeutet das alles? In diesem Moment vibriert wieder mein Smartphone. Nur drei Wörter.
„Wir haben Sina."

... to be continued after Unit 16 ...

1 Lesen

Read the statements. Find the mistakes and correct them.

1 Lukas will ~~Tarik und Ilena~~ anrufen. *Oma Viola*
2 Tarik, Ilena und Lukas nehmen die Straßenbahn. ______
3 Tarik und Ilena ~~bereiten auf dem Schiff das Frühstück vor~~. *fahren mit Lukas in die Hansestraße*
4 Lukas und Sina haben sich in München kennengelernt. ______
5 Lukas hat für seinen ersten Gast eine Suppe gekocht. ______

2 Hören

→ Unit 11

▶ W3.01

First read the answers at the bottom. Then listen to the questions and match. Which question goes with which answer?

1 ____
2 *a*
3 ____
4 ____
5 ____

a Weil sie ihm gefallen hat.
b Weil er sehr schnell sehr viel Obst braucht.
c Nein, denn an diesem Morgen ist es neblig und kalt.
d Weil heute Freitag, der 13., ist.
e Nein, denn er trifft seine Kollegen und sie kommen mit.

INFO

If the 13th of the month falls on a Friday, it's considered by many to be unlucky.

3 Üben: *durfte, konnte, musste, sollte, wollte*

→ Unit 12

What's right? Fill in the text with suitable modal verbs.

Lukas ________________ (1) Oma Viola anrufen, aber er ________________ (2) sie nicht erreichen. Er ________________ (3) in 20 Minuten in der Hansestraße sein. Denn Sina ist seine Freundin. Er hat ihr das Schiff gezeigt und ________________ (4) sie dann ins Restaurant einladen. Trotzdem ________________ (5) er nicht so schnell laufen, denn Freitag, der 13., ist wirklich kein Glückstag.

4 Üben: Gerichte und Getränke

→ Unit 9

What did Lukas and Sina have to eat on their first date? Put the letters in the right order and fill in the sentences.

Oma Viola kocht sehr gut, deshalb haben wir viel gegessen. Zuerst haben wir einen ________________ (*tslaa*) mit ________________ (*lchas*) gegessen. Dann eine ________________ (*gesmüusppee*). Sina hat ein ________________ (*tzlschnie*) bestellt und ich einen ________________ (*schwbraeineten*). Dazu haben wir ________________ (*wneieiwß*) und ________________ (*apfscheloler*) getrunken.

5 Üben: *Mach das!*

→ Unit 12

Use the "Du form" of the imperative to ask Lukas to do things or to give him advice and instructions. Write full sentences.

1 Lukas soll nicht so schnell laufen.

→ *Lauf doch bitte nicht so schnell!*

2 Lukas soll auf Tarik und Ilena warten.

→ *Warte bitte auf uns!*

3 Lukas soll nicht allein in die Hansestraße gehen.

→ ________________________________

4 Lukas soll Oma Viola anrufen.

→ ________________________________

5 Lukas soll von Sina erzählen.

→ ________________________________

6 Lukas soll Obst kaufen.

→ ________________________________

6 Üben: Trennbare Verben

→ Unit 10

a Put the words in the right order, separate the verbs where necessary and write full sentences in the present tense.

1 Lukas – bei Oma Viola – anrufen

____

2 nicht vorbereiten – das Frühstück für die Gäste – Tarik und Ilena

____

3 in die Hansestraße – Tarik und Ilena – mitkommen

____

4 Lukas – Tarik und Ilena – von Sina – erzählen

____

b Later on, Lukas tells some friends the story. What does he say? Fill in.

Ich _habe_ Oma Viola _angerufen_ (1), aber sie war nicht da. Tarik und Ilena __________ nicht das Frühstück für die Gäste __________________ (2), sondern __________ in die Hansestraße __________________ (3). Ich __________ ihnen von Sina __________________ (4).

7 Üben: Wegbeschreibung

→ Unit 11

A passer-by asks you the way from the market square to Hansestraße. Look at the map and think about how you'd give him directions. Fill in the speech bubble.

Entschuldigung, ich suche die Hansestraße.
Wie komme ich denn dorthin?

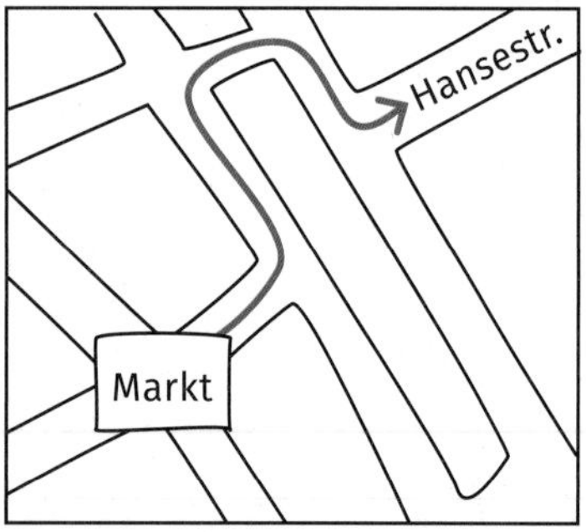

Gehen Sie zuerst geradeaus. Dann ...

____

____

____

____

____

____

____

13 Kleider machen Leute

In this unit you will learn to talk about your appearance and fashion:

> describing a person's appearance
> talking about your preferences in clothes
> getting advice while shopping

Ich habe ein schmales Gesicht.

1 Wörter entdecken: Aussehen

How would you describe Peter and Patrizia's appearance? Match the words to the right person.

blaue Augen | braune Augen | kurze Haare | lange Haare | kleine Ohren | große Ohren | einen großen Mund | einen schmalen Mund | ~~ein langes, schmales Gesicht~~ | ein rundes Gesicht | helle Haut | dunkle Haut

A

B

WORDS

• Haar, -e	*hair*
schmal	*narrow*
• Gesicht, -er	*face*
rund	*round*
hell	*light*
• Haut	*skin*
dunkel	*dark*

Peter hat *ein langes, schmales Gesicht,* ______

______

______

Patrizia hat ______

Sie hat ______

______

______

2 Über mich

What do you look like? Mark with crosses and write sentences as in the example.

1 ein ☐ rundes ☐ schmales ☐ ovales Gesicht
2 ☐ dunkle ☐ helle Haut
3 eine ☐ große ☐ kleine Nase
4 ☐ große ☐ kleine Ohren
5 ein ☐ großer ☐ kleiner Mund
6 ☐ blaue ☐ grüne ☐ braune Augen
7 ☐ lange ☐ kurze Haare

INFO

If an adjective goes before a noun, it takes an ending. If an indefinite article (**ein-**) goes before an adjective and a noun, the adjective endings are similar to those of the definite article (**der**, **das**, **die**, **den**). Remember – the plural form has no article.

	Nominative	Accusative
• **der** Mund	ein groß**er** Mund	einen groß**en** Mund
• **das** Gesicht	ein rund**es** Gesicht	
• **die** Nase	eine klein**e** Nase	
• **die** Haare	– lang**e** Haare	

Mein Gesicht *ist rund.* Ich habe *ein rundes Gesicht.*
1 Mein Gesicht ______ Ich habe ______
2 Meine Haut ______ Ich habe ______
3 Meine Nase ______ Ich habe ______
...

3 Üben: Das Aussehen beschreiben

Look at the photo and describe the people. Use the words given.

(rot)blond | dunkel | lang | kurz | blau   • Brille | • Bart | • Augen | • Haare

Er hat ______________________________

Sie hat ______________________________

Beide haben ______________________________

INFO
Notice:
dunk**el** → Er hat dunk**le** Haare.

WORDS

• Bart, ¨-e	*beard*
beide	*both*

4 Hören

13.01 **Listen to a survey on the subject *Was magst du an deinem Körper?* (What do you like about your body?) and fill in the information.**

1 Oskar findet, er sieht ____________ aus. Er mag seine ____________ ____________.
Nur mit seinem *dicken Bauch* ist er nicht so zufrieden.

2 Die Journalistin findet, Jasmin sieht ____________ aus. Jasmin mag ihre ____________ ____________ und ihre ____________, weil sie nicht ____________ ____________ sind.
Aber sie findet ihre ____________ ____________ schrecklich.

3 Adrian gefällt sein ____________ ____________. Er mag auch seine ____________ ____________.
Und er ist mit seinen ____________ ____________ zufrieden.

INFO
After the negative article **kein-** and the possessive articles **mein-**, **dein-** etc., adjectives in singular are formed just like with **ein-**: Ich mag **meine große** Nase. But in plural, the ending is **-en**: Ich mag **meine schönen** Hände.

In the dative form, adjectives always end in **-en**:
Ich bin mit meinem dick**en** Bauch / meinem schmal**en** Gesicht / meiner groß**en** Nase / meinen schön**en** Händen zufrieden.

WORDS

finden, hat gefunden	*to find*
zufrieden sein mit	*to be happy with*
schrecklich	*horrible*

5 Sprechen

a Write affirmative answers to the questions using the adjectives given.

1 ■ Gefällt dir deine Figur? ■ *Ja, meine sportliche Figur gefällt mir.* (sportlich)

2 ■ Gefallen dir deine Haare? ■ ______________________________. (kurz)

3 ■ Bist du mit deinen Augen zufrieden? ■ ______________________________. (blau)

4 ■ Gefällt dir dein Mund? ■ ______________________________. (schmal)

5 ■ Magst du dein Gesicht? ■ ______________________________. (oval)

6 ■ Bist du mit deinem Bart zufrieden? ■ ______________________________. (schön)

13.02 **b Now listen to the questions and react using your answers from exercise a. You will then hear the right answers.**

6 Wörter entdecken: Kleidung

What clothes does Jasmin have on her sofa? Look at the photo and mark with crosses.

- ☐ • das Kleid, -er — *dress*
- ☐ • der Rock, ¨-e — *skirt*
- ☐ • die Hose, -n — *trousers*
- ☐ • die Jacke, -n — *jacket*
- ☐ • die Bluse, -n — *blouse*
- ☐ • das Hemd, -en — *shirt*
- ☐ • der Mantel, ¨- — *coat*
- ☐ • der Schuh, -e — *shoe(s)*
- ☐ • das T-Shirt, -s — *T-shirt*
- ☐ • der Pullover, - — *pullover*
- ☐ • der Stiefel, - — *boot(s)*
- ☐ • die Socke, -n — *sock(s)*
- ☐ • der Strumpf, ¨-e — *stocking(s)*
- ☐ • die Mütze, -n — *hat*

7 Hören

▶ 13.03 **Jasmin has been invited out. She's discussing what to wear with her friend. What's right? Listen and mark with crosses.**

Jasmin wählt ...

1 ☐ eine Hose und ein T-Shirt. ☐ einen grünen Rock. ☐ ein rotes Kleid.
2 ☐ braune Sandalen. ☐ weiße Sandalen. ☐ rote Sandalen.

8 Gut aussprechen: Emotionen

▶ 13.04 **Listen and mark the stressed word in the sentence. Then listen again and repeat.**

1 Was ist los? ↘	*What's the matter?*
2 Was soll ich bloß anziehen? ↘	*But what shall I wear?*
3 Nimm doch das rote Kleid. ↘	*Wear the red dress.*
4 Ach nein. ↘ Das ist nicht schick genug. ↘	*Oh no. It's not elegant enough.*
5 Ach nein. ↘ Der Rock passt mir nicht mehr. ↘	*Oh no. The skirt doesn't fit me any more.*
6 Spinnst du? ↗	*Are you mad?*
7 Du hast recht. ↘	*You're right.*

INFO

In every sentence there's a word that's particularly stressed (in long sentences, it's sometimes several words). If there's some emotion involved, your voice adds even more emphasis.

INFO

In informal speech, the articles **der/das/die** are often used instead of the pronouns **er/es/sie**, to emphasise something.

9 Grammatik entdecken: Adjektive mit dem definiten Artikel

a Now read the conversation between Jasmin and her friend and mark all the adjectives that have a definite article and their corresponding nouns.

- Was ist los, Jasmin?
- Ich fahre am Wochenende zu Boris. Wir sind auf eine Party eingeladen. Was soll ich bloß anziehen?
- Das ist sicher kein Problem. Hier, guck mal, wie wäre es mit der roten Hose und dem weißen T-Shirt?
- Ach nein, das ist nicht schick genug.
- Dann zieh doch einen Rock an. Hier: Der grüne Rock sieht toll aus. Mit dem schwarzen Pullover hier ist das sehr schick.
- Ach nein, der Rock passt mir nicht mehr. Der ist zu eng.
- Dann zieh ein Kleid an.
- Okay. Welches Kleid findest du schöner: das gelbe Kleid oder das rote Kleid mit den weißen Punkten?
- Mir gefallen beide. Nimm doch das rote Kleid. Das passt gut zu deinen hellen Haaren.
- Ja, das stimmt. Und welche Schuhe soll ich anziehen?
- Vielleicht die roten High Heels?
- Ach nein, die sind zu unbequem. In denen tun mir die Füße immer weh.
- Dann nimm die braunen Sandalen.
- Spinnst du? Die sind schon fünf Jahre alt. Die kann ich nicht mehr anziehen.
- Wie wäre es dann mit den weißen Sandalen? Die sind elegant und passen gut zu dem roten Kleid.
- Du hast recht. Jetzt brauche ich nur noch eine Jacke. Was meinst du: die graue oder die weiße Jacke ...? Oder soll ich doch lieber den schwarzen Pullover anziehen ...?

INFO

The question word **welcher/welches/welche** is formed in the same way as the articles **der/das/die**:
- Welch**es** Kleid?
- Welch**e** Schuhe?

WORDS

Wie wäre es mit ...?	*How about ...?*
eng	*tight*
• Punkt, -e	*dot*
Das stimmt.	*That's true.*
unbequem	*uncomfortable*

b Fill in the chart with articles, adjectives and nouns you marked in a and mark their endings in colour.

	Nominative	Accusative	Dative
•			
•			dem weißen T-Shirt
•			der roten Hose
•			

10 Schreiben und Sprechen

a Make some suggestions and write sentences following the example.

1

2

3

4

5

6

INFO

hellbraun/-blau/-grün/... ↔ **dunkel**braun/-blau/-grün/...

1. Wie wäre es mit den schwarzen Schuhen? Die schwarzen Schuhe passen gut zu der schwarzen Hose.
...

▶ 13.05 **b Listen and react using your suggestions from a. You will then hear the right answer. Listen to an example first.**

- Welche Schuhe soll ich bloß anziehen?
- Wie wäre es mit den schwarzen Schuhen? Die schwarzen Schuhe passen gut zu der schwarzen Hose.

11 Lesen

a Read the title of the interview from a magazine and the information box. Look at the photo, too. What's the interview about?

☐ Es geht um Kleidung, Mode und Aussehen. *It's about clothes, fashion and appearance.*
☐ Es geht um Liebe. *It's about love.*

INFO

The word **tragen (trägt, hat getragen)** means "to carry" and "to wear", **anhaben (hat an, hat angehabt)** is often used as a synonym of "to wear".

b Now read the interview and compare it with your guess in a.

Was trägst du denn?

Hallo, Boris, schöne Blumen!
Danke, das finde ich auch.

Für wen sind die denn?
Die sind für meine Freundin Jasmin. Sie kommt gleich mit dem Zug aus Hannover an. Ich hole sie ab.

Wie nett von dir. Du hast eine interessante Jacke an. So eine Jacke sieht man nicht oft bei einem Mann.
Ich habe sie auf dem Flohmarkt gekauft. Ich weiß, sie ist nicht besonders modern, aber sehr weich! Aus echter Schafwolle.

Du magst bequeme Kleidung, richtig?
Ja, das stimmt. Mode interessiert mich nicht. Hauptsache, die Kleidung ist praktisch und bequem. Heute habe ich meine Lieblingshose an und einen dünnen schwarzen Pullover. Unter meinem Pullover trage ich ein weißes T-Shirt. Nur bei Schuhen ist mir gute Qualität wichtig. Ich trage nur Schuhe aus echtem Leder.

Boris, 38, Programmierer aus der Ukraine, getroffen auf dem Bahnsteig

Gefällt dieser Stil deiner Freundin?
Ehrlich gesagt, nein. Jasmin ist in Modefragen anders als ich. Ihr ist gutes Aussehen wichtig: schicke Kleidung, passender Schmuck, Make-up …

Danke für das Gespräch, Boris. Einen schönen Tag noch.

INFO

If there's no article, the adjective takes the article ending:

• passend**er** Schmuck	*matching jewellery*
• gut**es** Aussehen	*good appearance*
• bequem**e** Kleidung	*comfortable clothes*
• schön**e** Blumen	*nice flowers*
aus • echt**em** Leder	*real leather*
aus • echt**er** Schafwolle	*real sheep's wool*

WORDS

• Bahnsteig, -e	*platform*
• Flohmarkt, ¨-e	*flea market*
weich	*soft*
• Hauptsache	*the main thing*
ehrlich gesagt	*to be honest*
anders als	*different from*
• Gespräch, -e	*conversation*
beraten, berät, hat beraten	*to advise*
verkaufen	*to sell*

12 Üben: Anzeigen

Fill in the adjective endings.

A

Stylistin Monique hat Termine frei!
Elegantes Make-up für den Abend oder neu____ Stil für Frau und Mann – was brauchen Sie? Ich berate Sie in allen Fragen.
Telefon: 27890455

B

Verkaufe warm____ Mantel (dunkelbraun) aus weich____ Wolle. Nur 30 Euro.
Telefon: 918071

C

Leder Eder, Einkaufszentrum Arcaden, 1. Stock
Ist Ihnen gut____ Qualität wichtig? Bei uns finden Sie schick____ Taschen und Schuhe aus echt____ Leder.

D

Toll____ Mode, klein____ Preis: elegant____ Sommerkleider mit passend____ Sandalen

13 Ich suche eine Lederhose.

13 Sprechen

▶ 13.06 **a Listen and repeat.**

Die Hose steht Ihnen ausgezeichnet.	*The Lederhosen look great on you.*
Sie passt zu jedem Anlass.	*They can be worn for any occasion.*
Welche Größe haben Sie denn?	*What size are you then?*
Was für eine Hose soll es sein?	*What sort of Lederhosen should they be?*
Ich muss es mir noch überlegen.	*I need to think about it.*
Kann ich sie einmal anprobieren?	*Can I try them on?*
Die Umkleidekabinen sind dort hinten.	*The changing rooms are over there.*
Ich rate Ihnen zu einer klassischen Hose bis zum Knie.	*I'd suggest a classic, knee-length pair.*

▶ 13.07 **b Boris wants to buy a pair of Lederhosen. Fill in the sentences from exercise a. Then listen to the conversation and compare it with your answers.**

- Grüß Gott, kann ich Ihnen helfen?
- Guten Tag. Ich suche eine Lederhose.
- ______________________ Eine lange oder eine kurze Lederhose?
- Ich weiß nicht. Was empfehlen Sie mir?
- Ich rate Ihnen zu einer klassischen Hose bis zum Knie. ______________________
- Das klingt gut. Könnten Sie mir bitte so eine Hose zeigen?
- Ja, gern. ______________________
- Größe 48.
- Sehen Sie mal, hier habe ich eine sehr schöne Hose. Das Leder ist ausgezeichnete Qualität.
- Sehr schön. Was kostet sie?
- 359 Euro.
- Oh, das ist aber sehr teuer. Haben Sie keine günstigere Hose?
- Wie wäre es mit dieser Hose für 269 Euro?
- Die gefällt mir. ______________________
- Natürlich. ______________________

...

- Und? Passt die Hose?
- Ich weiß nicht. Ist sie nicht ein bisschen zu eng?
- Nein, nein. ______________________
- Sie haben sicher recht, aber es ist trotzdem ziemlich viel Geld. ______________________
- Kein Problem. Wir haben heute bis 18 Uhr geöffnet, morgen bis 16 Uhr. Auf Wiedersehen.

INFO

Adjective endings are added to the comparative form:
eine günstig**e** Hose → eine günstig**ere** Hose

▶ 13.08 **c Listen again and play Boris's role.**

14 Lesen

a Which photo goes with which text? Read and match. Tip: cover the vocabulary and information box with your hand or some paper. You'll be able to manage without the words to help you, too!

☐ Ich bin Manager in der Auto-Industrie. Ich trage meistens einen schwarzen oder blauen Anzug und ein weißes oder blaues Hemd. Und natürlich eine Krawatte! An Bürotagen ohne Termine trage ich eine bequeme Hose und ein einfaches Sakko. Eine Krawatte habe ich aber immer im Schrank.

☐ Ich bin Bäcker von Beruf. In der Bäckerei müssen wir Arbeitskleidung tragen: eine graue Hose, ein weißes T-Shirt und bequeme Schuhe, weil wir in unserem Beruf so viel stehen. Besonders wichtig ist aber die Mütze, denn in den Teig dürfen keine Haare fallen.

☐ Ich arbeite als Verkäuferin in einem Schmuckgeschäft. Eigentlich kann ich anziehen, was ich will. Natürlich ist ein gepflegtes Aussehen wichtig. Ich trage im Geschäft gern Röcke und Blusen oder elegante Pullover. Gepflegte Hände sind mir besonders wichtig, denn ich zeige den Kunden den Schmuck und sie sehen ständig auf meine Hände.

INFO

An • **Anzug** consists of trousers and a matching jacket made of the same material. • • **Sakkos** can be worn with any trousers, for example with a pair of jeans to look casual. There are trouser suits for businesswomen, too. The combination of a skirt with a matching jacket is called a • **Kostüm**. You find that funny? Yes, in German the same word is used for a (women's) suit and a fancy dress costume.

WORDS

• Krawatte, -n	*tie*
• Bäcker, -	*baker*
fallen, fällt, ist gefallen	*to fall*
• Verkäuferin, -nen	*sales assistant*
• Schmuckgeschäft, -e	*jeweller's*
gepflegt	*neat*
• Kunde, -n	*customer*
ständig	*always*

b Read again and mark with crosses.

	richtig	falsch
1 Der Manager hat eine Krawatte in seinem Büro.	☐	☐
2 Bäcker müssen bei der Arbeit eine Mütze tragen.	☐	☐
3 In einem Schmuckgeschäft muss man Röcke und Blusen tragen.	☐	☐

15 Wörter und Wendungen

a Translate into German.

1 the shop ________	**2** to try on ________
3 the work ________	**4** dark red ________
5 the knee ________	**6** light grey ________
7 the bakery ________	**8** comfortable ________

b Make a note of eight pieces of clothing that you want to remember in German.

German	English	German	English

16 Grammatik: Die Adjektivdeklination

Adjectives don't take an ending after a verb:
Mein Gesicht ist **rund.** Jasmin findet ihr Aussehen **schrecklich.**
If an adjective goes before a noun, it takes an ending. There are five endings:
-e, -em, -en, -er, -es. The most common ending is **-en**. The right ending depends on the article.

1. *If there's no article*, the adjective takes the ending of the definite article.
   Bei uns finden Sie Kleidung und passend**en** • Schmuck.
   Die Schuhe sind aus echt**em** • Leder.

	Nominative	Accusative	Dative
•	passend**er** Schmuck	passend**en** Schmuck	passend**em** Schmuck
•	echt**es** Leder		echt**em** Leder
•	gut**e** Qualität		gut**er** Qualität
•	schick**e** Taschen		schick**en** Taschen

2. *After an indefinite article*, adjectives in nominative and accusative also take the ending of the definite article. But in dative the ending is always **-en**.
   Das ist ein/kein/mein schön**er** • Pullover.

	Nominative	Accusative	Dative
•	ein schön**er** Pullover	einen schön**en** Pullover	einem schön**en** Pullover
•	ein schön**es** Kleid		einem schön**en** Kleid
•	eine schön**e** Hose		einer schön**en** Hose
•	– schön**e** Schuhe		schön**en** Schuhe**n**

After the negative article **kein-** and the possessive articles **mein-, dein-, sein-, ihr-** **unser-, euer-, ihr-**, adjectives take the same ending as with the indefinite article.
Exception: the plural ending is always **-en**!

Das sind schön**e** Schuhe.
Das sind **keine** schön**en** Schuhe.

3. For adjectives *after the definite articles* **der/das/die**, there are only two possible endings: **-e** and **-en.**

	Nominative	Accusative	Dative
•	der gelb**e** Pullover	den gelb**en** Pullover	dem gelb**en** Pullover
•	das rot**e** Kleid		dem rot**en** Kleid
•	die grün**e** Hose		der grün**en** Hose
•	die schwarz**en** Schuhe		den schwarz**en** Schuhen

After **jeder/jedes/jede, welcher/welches/welche** and **dieser/dieses/diese**, adjectives are formed in the same way as after the definite article.
Zu **jedem** schwarz**en** Schuh gehört ein schwarzer Strumpf.
Zieh doch **dieses** rot**e** Kleid an.
Remember: comparative forms end in **-er** (see Unit 6). The adjective ending is added on to that ending:
Haben Sie keinen günstig**eren** Rock? / kein günstig**eres** Kleid? /
keine günstig**ere** Hose? / keine günstig**eren** Schuhe?

17 Üben

Fill in the right adjective ending where necessary.

1 ■ Ich bin auf ein Fest von unserem österreichisch___ • Geschäftspartner eingeladen. Man soll in elegant___ • Kleidung kommen. Was soll ich bloß anziehen?
□ Weißt du, was? Wir gehen zusammen einkaufen und kaufen dir ein neu___ • Kleid.
■ Gut___ • Idee.

2 ■ Guten Tag, ich suche ein schick___ Kleid für ein Fest.
□ Sehr gern. Was für ein Kleid soll es denn sein? Ein lang___ oder ein kurz___?
■ Es darf nicht zu kurz___ sein, aber es soll auch nicht lang___ sein. Kein Abendkleid.
■ Wie wäre es mit diesem blau___ Kleid? Es passt zu jedem Anlass.
□ Ja, es ist sehr schön___. Ich probiere es mal an.
■ Passt es?
□ Nein, es ist mir leider zu klein___. Haben Sie es eine Nummer größer___?
■ Ja. Hier bitte.

3 ■ Das neu___ Kleid ist wirklich schön. Jetzt brauchst du nur noch passend___ • Schuhe und schön___ • Schmuck zum Kleid.
□ Du hast recht. Aber neu___ Schuhe sind teuer___. Ich denke, ich ziehe meine alt___ Schuhe an. Sie sind hellblau___ und passen gut zu einem blau___ Kleid.

4 ■ Liebe Frau Rudova, Sie sehen wunderbar___ aus. Eine schöner___ • Frau habe ich nie gesehen! Das blau___ Kleid steht Ihnen ausgezeichnet___.
■ Vielen Dank, Herr Brunner. Das ist sehr freundlich___ von Ihnen.

13 Shop around the clock?

Where do you think you can buy a carton of milk at lunchtime on a Sunday?

It's lunchtime on a Sunday. Friends are coming round in the afternoon. It's all ready – you've baked a cake, the table's laid. You've just got to fill the milk jug. Oh, no, there's no milk. So, pop to the supermarket round the corner? In Germany, Austria and Switzerland, you'll be met with locked doors. Food shops and also other shops are generally closed on Sundays. A rare exception is **verkaufsoffene Sonntage** (open Sundays). But it's mainly department stores and specialist shops like, for example, boutiques or shoe shops that open up then, not food shops.

What if the same mishap happens to you on a Saturday at 9pm? Well then it depends where you live. The three German-speaking countries have federal systems where each **Bundesland** (Austria and Germany) and **Kanton** (Switzerland) can set many of their own rules. If you travel from Flensburg (north Germany) via Bregenz (Austria) to Lugano (Switzerland), you'll be confronted with almost a dozen different sets of regulations for shop opening times. While with a bit of luck you'll be able to find a supermarket that's open from Monday to Saturday till late in the evening in Flensburg, in Bavaria in southern Germany it's only possible from 6am to 8pm. In Bregenz shops have to close as early as 6pm on Saturdays. And while in some Kantons in Switzerland there are no limitations at all on shop opening times, in Lugano it's lights out at 7pm.

So, where do you get some milk for your coffee round on a Sunday? The last resort in that case is usually a **Tankstelle** (petrol station). Petrol stations in German-speaking countries are turning into an admittedly expensive substitute for supermarkets, where you can get a crate of beer late in the day for your football evening with your mates. Or the milk you'd forgotten.

14 Ich liebe dich!

In this unit you will learn to talk about love and friendship:

> saying who/what is most important to you
> telling your own love story
> talking about appearance and grooming

Ich muss mich beeilen!

1 Hören und Lesen

▶ 14.01 **Leon shares a flat and has been invited to a party. When he wants to get ready, he finds himself in trouble. What is he missing? Listen, read along and mark the pictures.**

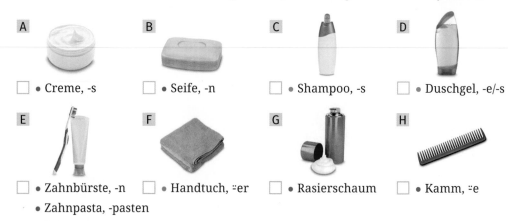

A

☐ • Creme, -s

B

☐ • Seife, -n

C

☐ • Shampoo, -s

D

☐ • Duschgel, -e/-s

E
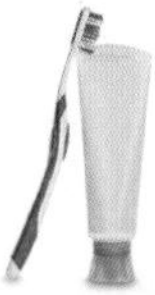
☐ • Zahnbürste, -n
• Zahnpasta, -pasten

F

☐ • Handtuch, ¨-er

G

☐ • Rasierschaum

H

☐ • Kamm, ¨-e

■ Hey, Leon, wollen wir noch ein Bier trinken?

■ Das geht nicht, ich bin auf eine Party eingeladen um ... oh, ich muss mich beeilen! Ich muss mich noch duschen und mich umziehen.

■ Hast du noch saubere Handtücher? Wir haben schon lange keine Wäsche mehr gewaschen.

■ Ja, eins habe ich noch. Aber Rasierschaum ... oje, kann ich mir welchen leihen, Jens?

■ Klar, kein Problem.

■ Shampoo hast du aber noch, oder? Und eine Creme?

■ Ja, Shampoo habe ich noch genug. Und Creme brauche ich nicht. Ich bin doch keine Frau, Mira!

■ Hey! Creme ist auch für Männerhaut gut. Eine Zahnbürste und Zahnpasta hast du noch, oder?

■ Äh, ja, für heute habe ich noch genug ... Hat vielleicht jemand meinen Kamm gesehen ...?

WORDS

sich beeilen	*to hurry (up)*
sich umziehen, zieht sich um, hat sich umgezogen	*to get changed*
sich leihen, hat sich geliehen	*to borrow*

2 Hören

▶ 14.02 **What does Leon do when? Listen to the sounds and put the actions in the right order.**

A
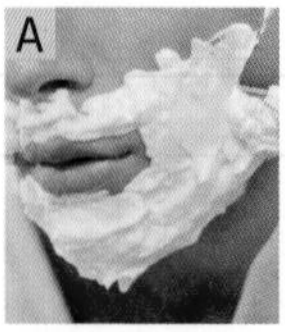
☐ sich rasieren

B
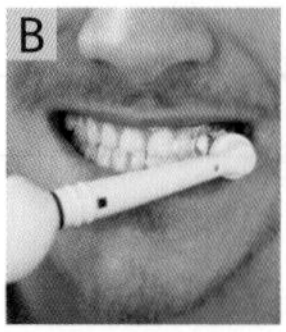
1 sich die Zähne putzen

C
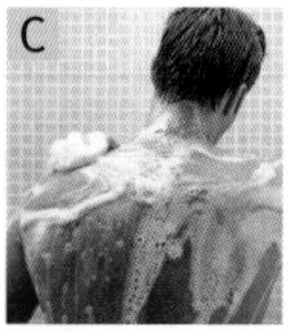
☐ sich duschen

D
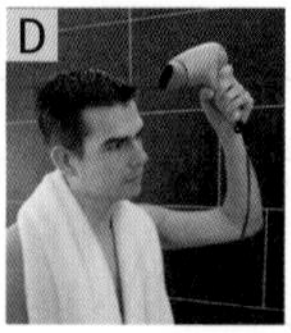
☐ sich föhnen

E
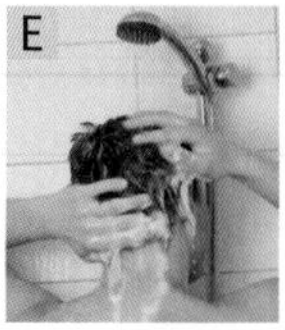
☐ sich die Haare waschen

3 Grammatik entdecken: *Ich wasche mich.*

Which sentence goes with which picture? Match them up.

Ich wasche jeden Samstag mein Auto. Ich wasche mir täglich die Haare.
Ich wasche mich morgens und abends.

WORDS

täglich	*every day*

A

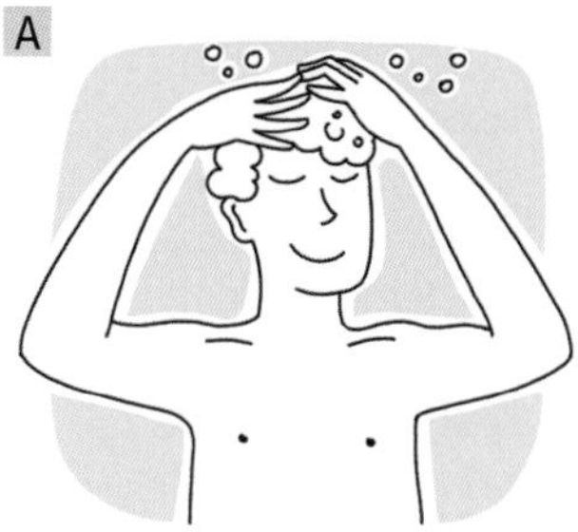

B

C

4 Über mich

And now you! What's your typical morning like? Write full sentences.

WORDS

sich eincremen, cremt sich ein, hat sich eingecremt	*to put on cream*
sich schminken	*to put on make up*

sich rasieren ~~sich duschen~~ sich anziehen
sich eincremen sich die Zähne putzen
sich die Hände waschen sich schminken
sich die Haare waschen sich die Haare föhnen / stylen

Zuerst dusche ich mich. Dann …

5 Gut aussprechen: *z, s* oder *sch*

▶ 14.03 **a** **What sounds do you hear? Mark with crosses. You may need to mark more than one in each sentence.**

1 ☐ z ☐ s ☐ sch
2 ☐ z ☐ s ☐ sch
3 ☐ z ☐ s ☐ sch
4 ☐ z ☐ s ☐ sch
5 ☐ z ☐ s ☐ sch
6 ☐ z ☐ s ☐ sch

INFO

In German, **-zz-** only exists in foreign words (**Pizza**). Instead of a double "z", **-tz-** is used (**putzen**).

▶ 14.04 **b** **Listen and repeat. Be careful with the difference between *z*, *s* and *sch*.**

1 Sie wäscht sich die Haare.
2 Ich muss mich konzentrieren.
3 Sie zieht sich an und schminkt sich.
4 Wir ziehen uns um.
5 Ihr müsst euch beeilen!
6 Sie sitzen auf dem Sofa und essen Pizza.

6 Hören und Lesen

▶ 14.05

While Leon's getting ready for the party, Jens and Mira are sitting at the kitchen table chatting. Listen to the conversation and read along. What's right? Mark the correct answer.

1 Leon ist ordentlich.
- ☐ richtig ☐ falsch ☐ keine Information im Text

2 Mira schminkt sich immer.
- ☐ richtig ☐ falsch ☐ keine Information im Text

3 Leon kann gut tanzen.
- ☐ richtig ☐ falsch ☐ keine Information im Text

■ Typisch Leon. Hoffentlich hat er wenigstens ein sauberes Hemd ...

□ Gestern hat er sich ein T-Shirt von mir geliehen, weil seine T-Shirts alle in der Wäsche waren.

■ Ja, er kümmert sich nicht besonders um seine Kleidung. Aussehen ist ihm nicht so wichtig.

□ Aber nur bei Männern! Bei Frauen freut er sich über jedes hübsche Kleid, und schminken sollte sich eine Frau natürlich auch ...

■ Na ja, wir Frauen schminken uns nicht nur für Männer, sondern auch für uns selbst. Wir sehen gern gut aus!

□ Hm, dann trägst du dieses Kleid nur für dich? Oder hast du heute noch etwas vor?

■ Nein, heute Abend sind wir zwei allein.

□ Wir könnten etwas zusammen unternehmen ... Tanzen! Hast du Lust?

■ Sehr gern! Ich habe schon lange nicht mehr getanzt.

□ Super, ich freue mich! Komm!

■ Nicht so schnell, ich muss mich noch fertig machen ...

WORDS

ordentlich	*tidy*
wenigstens	*at least*
sich kümmern um	*to care about*
unternehmen, unternimmt, hat unternommen	*to do (something)*
schon lange	*for a long time*
sich fertig machen, macht sich fertig, hat sich fertig gemacht	*to get ready*

7 Sprechen

▶ 14.06

What do you do every morning? Listen to the questions and give a positive or negative answer. You will then hear the right answer. Listen to an example first.

1 ☺ **2** ☹ **3** ☹

4 ☺ **5** ☹ **6** ☺

INFO

A reflexive pronoun always goes after a conjugated verb.
Ich **schminke mich** jeden Morgen.
Ich **muss mich** jeden Morgen **schminken**.

■ Schminkst du dich jeden Morgen? □ Ja, ich schminke mich jeden Morgen.

8 Hören und Lesen

14.07 **a Leon is now at the party and talks to several women. Which conversation is with which woman? Listen and match.**

A

B

C

INFO

The Elbphilharmonie is a landmark of the city of Hamburg. A filigree glass building was fitted onto an old harbour warehouse and contains a free-floating concert hall, a public plaza, a hotel and flats.

14.08 **b Leon and Teresa have moved to a quiet corner and are chatting. What's the most important thing to Leon and what's most important to Teresa? Listen to the conversation, read along and make notes.**

Leon: ______________________ Teresa: ______________________

- Magst du klassische Musik, Leon?
- Na ja, Rock und Punk höre ich lieber. Aber eigentlich mag ich jede Musik. Musik ist mir sehr wichtig. Ich spiele zum Beispiel sehr gern Gitarre.
- Und ich spiele Klavier. Am liebsten singe ich dazu, aber leider singe ich nicht so gut. Musik bedeutet mir sehr viel. Und Freunde. Freunde sind mir noch wichtiger als meine Familie. Freunde sind mir am wichtigsten.
- Na ja, ich finde Freunde auch wichtig, aber mir ist meine Familie am wichtigsten.
- Typisch Italiener ...
- Hey, ich bin auch Deutscher. Meine Mutter kommt aus Hamburg. Meiner Meinung nach vernachlässigen Deutsche ihre Familien zu sehr.
- Ja, das ist möglich. Mein Vater ist tot, da sollte ich meine Mutter vielleicht öfter besuchen. Mein Bruder lebt in Kanada. Das finde ich toll, so kann ich ihn besuchen und gleichzeitig ein anderes Land kennenlernen. Reisen ist mir auch sehr wichtig. Ich möchte so viele Länder wie möglich besuchen! Du nicht?
- Ich war schon in halb Europa, in den USA, Kanada, Australien, Russland und einmal sogar in China. Deshalb sind mir Reisen ziemlich egal. Aber ich komme natürlich gern auf jede Reise mit ...

WORDS

zum Beispiel	*for example*
• Klavier, -e	*the piano*
vernachlässigen	*to neglect*
öfter	*more often*
gleichzeitig	*at the same time*
sogar	*even*
egal	*unimportant*

INFO

Meine Familie ist mir **am** wichtig**sten** (= *it is more important than anything else*).
Ich höre **am** lieb**sten** Musik (= *I prefer it to everything else*).
If an adjective ends in **-t, -d** or **-s, -sch, -ß**, an **-e** is put between the adjective and the ending **-sten**. This makes the word easier to pronounce:
Von allen Kindern ist Linus **am** hübsch**esten.**

9 Lesen

Read Leon and Teresa's conversation again and fill in the gaps. If you find it difficult, have another look at exercise 15 in Unit 6.

am wichtigsten | wichtiger | weniger | egal | ~~wichtiger~~ | am wichtigsten | genauso wichtig

1 Leon ist seine Familie _wichtiger_ als alles andere. Seine Familie ist ihm im Leben ____________. Freunde sind ihm ____________ wichtig als seine Familie. Reisen ist ihm ____________.

2 Teresa sind ihre Freunde ____________ als alles andere. Ihre Freunde sind ihr im Leben ____________. Reisen ist ihr ____________ wie Musik.

10 Schreiben

What do you like best? Write full sentences following the pattern in the example.

1 klassische Musik – Punk und Rock – Popmusik

Ich höre nicht (so) gern klassische Musik. Ich höre lieber Punk und Rock, aber am liebsten höre ich Popmusik.

2 schwimmen – joggen – Fahrrad fahren

Ich schwimme nicht (so) gern. ____________

3 lesen – telefonieren – Computerspiele spielen

____

11 Schreiben

Mira's looking at some mens' profiles on a dating site. What does she think of them?

Alter: 32 Jahre
Größe: 1,95 m
Gewicht: zu viel ...
Hobbys: Theater, Reisen, Nordic Walking

Alter: 45 Jahre
Größe: 1,80 m
Gewicht: 70 kg
Hobbys: Marathon laufen, Rockmusik, Fahrrad fahren

Alter: 24 Jahre
Größe: wie Harry Potter
Gewicht: leider nicht so wie Harry Potter ...
Hobbys: Lesen, Computerspiele

Ben ist älter als Fynn, aber Maik ist _am ältesten_ ... Ich mag kleine Männer. Maik ist ____________ als Ben, aber Fynn ist noch ____________. Fynn ist also am kleinsten. Ein Mann sollte sportlich sein. Ben ist ____________ als Maik, aber sportlicher als Fynn. Maik ist ____________. Und das Gewicht? Maik ist ____________, Fynn ist ein bisschen dicker, aber ____________ ist Ben. Hm ...

12 Lesen

Leon and Teresa have been an item for a year now. They've just got married. Read the report that appears in the paper a couple of days later and answer the questions.

1 Wann haben sich Teresa und Leon kennengelernt?

____

2 Wo wollten Teresa und Leon ihre Hochzeit feiern?

____

3 Was war das Problem?

____

Hochzeit mit Hindernissen

„Das war die verrückteste Hochzeit seit zehn Jahren", sagt Jakob Mitscherlich, Standesbeamter in Berlin. „Teresa und Leon Marconi. Ein wirklich schönes Paar. Aber nach dieser Hochzeit haben sie sich fast wieder scheiden lassen ..." Teresa und Leon haben sich vor einem Jahr auf einer Party kennengelernt, sich verliebt und wohnen seit sechs Monaten zusammen. Ein ganz normales Liebespaar. Vor drei Monaten haben sie sich verlobt – und damit haben die Probleme begonnen.

Zuerst wollten Teresa und Leon in Italien heiraten. Da war aber die Familie von Teresa nicht einverstanden. Also in Deutschland heiraten? Da hat sich die italienische Familie von Leon geärgert. Also haben die beiden in drei Monaten zwei Feiern organisiert, eine in Deutschland und eine in Italien.

Und dann? Bei der Trauung in Deutschland war Leon nicht da. Teresa hat gedacht, Leon wollte sich von ihr trennen. Sie war verzweifelt. Wo er war? „In Turin. Er hat den falschen Termin in seinen Kalender geschrieben", sagt Jakob Mitscherlich.

Was also tun? „Die moderne Technik hat uns gerettet: Skype. In Deutschland ist das eigentlich verboten, aber ich konnte ja mit Leon persönlich sprechen und Zeugen waren auch hier. Also haben Teresa und Leon zunächst einmal via Skype geheiratet." Nur küssen konnte Leon Teresa erst nach drei Stunden. So lange dauert der Flug von Turin nach Berlin ...

INFO

vor • einem Tag	*one day ago*
seit • einem Jahr	*for one year now*
in • einer Woche	*in a week's time*
nach • einer Stunde	*after an hour*

WORDS

• Hochzeit, -en	*wedding*
• Hindernis, -se	*obstacle*
verrückt	*crazy*
• Standesbeamte, -n	*registrar*
• Paar, -e	*couple*
sich scheiden lassen, lässt sich scheiden, hat sich scheiden lassen	*to get divorced*
sich verlieben	*to fall in love*
sich verloben	*to get engaged*
heiraten	*to get married*
sich ärgern	*to get angry*
• Trauung, -en	*wedding ceremony*
sich trennen	*to split up/to separate*
verzweifelt	*desperate*
retten	*to rescue/to save*
verboten	*forbidden*
• Zeuge, -n	*witness*
zunächst einmal	*to begin with*
küssen	*to kiss*

13 Lesen

Teresa and Leon got a lot of cards for their wedding. Unfortunately, some red wine got spilt on some of them. Fill in the illegible words.

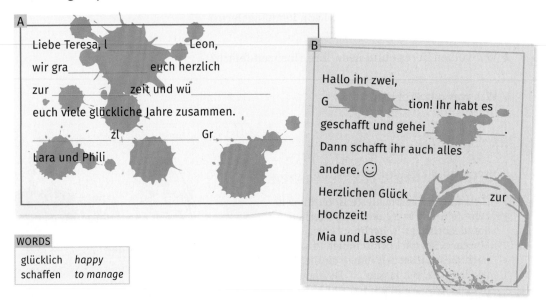

A

Liebe Teresa, l__________ Leon,

wir gra__________ euch herzlich

zur __________zeit und wü__________

euch viele glückliche Jahre zusammen.

__________zl__________ Gr__________

Lara und Phili

B

Hallo ihr zwei,

G__________tion! Ihr habt es geschafft und gehei__________.

Dann schafft ihr auch alles andere. ☺

Herzlichen Glück__________ zur Hochzeit!

Mia und Lasse

WORDS

glücklich	*happy*
schaffen	*to manage*

14 Hören

▶ 14.09

Leon and Teresa are thinking about their honeymoon. These are the places they might go to. Match them up and fill in the gaps. Then listen to their discussion. Where do they decide to go?

höchste | größte | älteste | ~~bekannteste~~ | wärmste

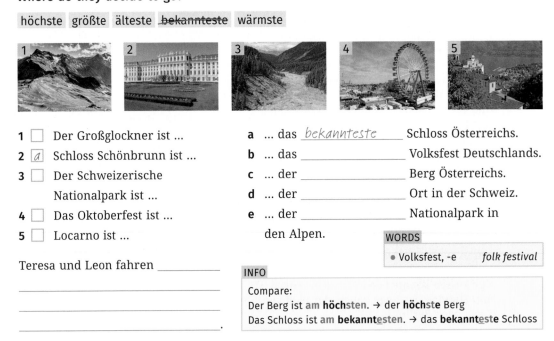

1 ☐ Der Großglockner ist …
2 ☑ *a* Schloss Schönbrunn ist …
3 ☐ Der Schweizerische Nationalpark ist …
4 ☐ Das Oktoberfest ist …
5 ☐ Locarno ist …

a … das *bekannteste* Schloss Österreichs.
b … das __________ Volksfest Deutschlands.
c … der __________ Berg Österreichs.
d … der __________ Ort in der Schweiz.
e … der __________ Nationalpark in den Alpen.

Teresa und Leon fahren __________
____
____
__________.

WORDS

• Volksfest, -e — *folk festival*

INFO

Compare:
Der Berg ist am **höch**sten. → der **höch**ste Berg
Das Schloss ist am **bekannt**esten. → das **bekannt**este Schloss

15 Lesen

a Alina is a wedding planner. Read what she's got to offer and answer the questions.

	richtig	falsch
1 Alina organisiert typisch deutsche Hochzeiten.	☐	☐
2 Ein Henna-Abend ist typisch für eine chinesische Hochzeit.	☐	☐
3 Die Farbe Rot ist bei chinesischen Hochzeiten wichtig.	☐	☐
4 Ein *Bridal Shower* findet am Tag vor der Hochzeit statt.	☐	☐
5 Bei arabischen Hochzeiten findet das Fotoshooting vor der Hochzeit statt.	☐	☐

Sie wollen heiraten? Eine typisch deutsche Hochzeit ist Ihnen zu langweilig? Sie wollen das Besondere? Dann kombinieren Sie verschiedene Traditionen! Wir organisieren für Sie zum Beispiel ...

eine arabische Hochzeit

- Traditioneller Henna-Abend (eine professionelle Künstlerin bemalt Ihre Hände und Füße)
- Orientalische Musik plus Show
- Farben wie Pink, Grün oder Gold

eine chinesische Hochzeit

- Professionelles Fotoshooting ein paar Tage vor der Hochzeit (die Fotos sind eine originelle Dekoration für die Feier!)
- Abholen der Braut in einer Sänfte
- Farben: Rot

eine amerikanische Hochzeit

- *Bridal Shower* zwei bis sechs Wochen vor der Hochzeit
- *Rehearsal Dinner* am Abend vor der Hochzeit
- Live-Band

Neugierig geworden? Kontaktieren Sie uns!

14.10 **b Now listen to the conversation between Alina and a potential customer. What programme does she offer the customer? Mark the right words.**

1 ☐ Bridal Shower **2** ☐ Fotoshooting
3 ☐ Henna-Abend **4** ☐ Live-Band
5 ☐ Buffet mit arabischen und deutschen Gerichten
6 ☐ orientalische Show

WORDS

verschieden	*different*
bemalen	*to paint*
ein paar Tage	*a few days*
• Braut, ¨-e	*bride*
• Sänfte, -n	*sedan chair*
neugierig	*interested/curious*

16 Wörter und Wendungen

Translate into German.

1 to fall in love ______________________________
2 to meet ______________________________
3 to do (something together) ______________________________
4 to get angry ______________________________
5 to get married ______________________________
6 happy ______________________________

17 Grammatik: Reflexive Verben

Compare:

Leon wäscht **sich**.

Leon wäscht **das Auto**.

≠

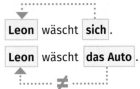

The different forms of reflexive pronouns are exactly the same as the accusative forms of object pronouns (see Unit 6) or (in a few cases, e.g. when a sentence contains two objects) as the dative forms of object pronouns (see also Unit 9). Exception: the third person singular and plural!

sich waschen	
ich wasche	**mich** / **mir** die Haare
du wäschst	**dich** / **dir** die Haare
er/es/sie wäscht	sich / sich die Haare
wir waschen	**uns** / **uns** die Haare
ihr wascht	**euch** / **euch** die Haare
sie/Sie waschen	sich / sich die Haare

Some verbs always go with a reflexive pronoun, e.g. **sich verlieben**, **sich beeilen**.
You need to learn these by heart.
In statements, the reflexive pronoun goes immediately after the conjugated verb.
In questions, however, because the subject and verb change position, the reflexive verb goes after the subject.

	Er	**wäscht**	sich	mit Seife.
	Ich	**muss**	mich	umziehen.
Wo	**ziehen**	wir	uns	um?
Wann	**habt**	ihr	euch	gestern getroffen?

18 Üben

Fill in the right reflexive pronoun.

1 Wir treffen *uns* um 19:30 Uhr vor dem Kino.
2 Lisa und Johanna schminken ____________ jeden Tag.

3 Sie waschen ___________ aber nicht täglich die Haare!
4 Wann habt ihr ___________ kennengelernt?
5 In zwei Stunden beginnt das Theaterstück. Du solltest ___________ jetzt umziehen.

19 Grammatik: Temporale Präpositionen *seit, vor, in, nach* + Dativ

After the temporal prepositions **seit, vor, in** and **nach**, the time phrase is used in the dative form.
Wir haben uns **vor** einem Jahr kennengelernt.
Wir wohnen **seit** dem 1. Februar zusammen.
Wir haben uns **nach** einem Jahr verlobt.
Wir wollen **i**m September heiraten.
Careful: the two-case prepositions **in** and **vor** can go with either dative or accusative depending on whether they refer to a time, a position or a direction (see also Unit 11). Time and position take the dative form (**Wann? Wo?**), direction takes the accusative form (**Wohin?**).

Time (Wann?) → Dative	Position (Wo?) → Dative	Direction (Wohin?) → Accusative
Wir heiraten **in** einem Monat.	Wir feiern **i**m Restaurant „Poseidon".	Danach fahren wir **in** die Türkei.
Wir haben uns **vor** einem Jahr kennengelernt.	Wir waren **vor** der Tür. Da habe ich Julia gesehen.	Wir sind **vor** die Tür gegangen.

20 Grammatik: Superlativ

If you want to express that a characteristic cannot be surpassed, the adjective must go in what's known as the superlative. The superlative is indicated with the letters **-st-**.
If the adjective goes before a noun, you just add **-st-** followed by the corresponding adjective ending.
Die schönst**e** Frau ist Teresa.
Ich wohne in der schönst**en** Stadt Österreichs – in Salzburg.
If the adjective refers to a verb, you put **am** in front of it and add **-sten** to the end.

Teresa singt am **schönsten**.

If an adjective ends in **-t, -d** or **-s, -sch, -ß,** you put an **-e-** between the adjective and the ending **-st-**.
Die Hochzeit war **am** verrückt**esten.** Das war die verrückt**este** Hochzeit seit Jahren.

There's a vowel change in some one-syllable adjectives.
Noah ist alt. Johannes ist ält**er**. Aber Friedrich ist **am** ält**esten.**
Maja ist jung. Lea ist jüng**er**. Aber Emma ist **am** jüng**sten.**

Unfortunately, there are also a few irregular forms, which you need to learn by heart.
gern – lieber – am liebsten viel – mehr – am meisten gut – besser – am besten

14 Dating in German

You're out and about and suddenly there she/he is – the woman (or the man) of your dreams. Look at the pictures. Where do you have the greatest chance of that person starting a relationship with you?

A ☐ on public transport
B ☐ in a yoga class
C ☐ in a bar

In a nutshell – public transport is the worst imaginable place to meet new people. As a rule, people want to be left in peace and at best will be prepared to engage in a bit of small talk. And if the object of your desire puts their nose in a book or gets busy with their smartphone, their legs crossed and their back half turned, you have no chance whatsoever. Sadly, chance meetings in the street or while shopping are just as bad. Unless it's love at first sight, the best you can hope for is to exchange a couple of words and at worst, women, particularly, will feel harassed. Only very rarely might it end in a date or a quick coffee.
Your chances are far better if you come across the woman or man of your dreams in the evening at a bar or a club. If there's dancing, you can easily ask the object of your desire to dance and you'll already have started a conversation.
The best way to get a date with the woman or man of your dreams is still by repeatedly crossing paths over a certain period of time. Germans tend to take a bit of time to sniff around potential acquaintances. Any type of course (yoga, languages, dancing etc.) is excellent, for example. A yoga course is a particularly good tip for men looking to flirt – they'll probably be the only man there. The problem? Daring to go at all ...

15 Wie fühlst du dich?

In this unit you will learn to talk about emotions and how you feel:

- saying what influences your wellbeing
- expressing joy, anger, sadness and fear
- criticising

Wenn das Wetter sich ändert, ...

1 Hören

▶ 15.01 **a Every-day life consists mostly of obligations. So the small pleasures in between are all the more important. What does you good? Mark with crosses. Then listen to what Paula says and mark with crosses. Well? Have you got anything in common?**

	ich	Paula
1 in Ruhe Zeitung lesen	☐	☐
2 etwas mit Freunden unternehmen	☐	☐
3 Zeit für mich ganz allein haben	☐	☐
4 ein Instrument spielen	☐	☐
5 Musik hören	☐	☐
6 eine Zigarette rauchen	☐	☐
7 ins Fitnessstudio gehen	☐	☐
8 draußen in der Natur sein	☐	☐
9 Fußball gucken	☐	☐
10 faul auf dem Sofa liegen	☐	☐

WORDS

• Zeitung, -en	*newspaper*
rauchen	*to smoke*
draußen	*outdoors*
früher	*in the past (I used to)*
müde	*tired*

b Listen again and fill in the sentences.

1 Es macht mich glücklich, wenn ______________________.
2 Wenn ______________________, geht es mir gut.
3 Früher habe ich sehr viel geraucht, wenn ______________________.
4 Wenn *ich am Abend sehr müde bin*, gucke ich gern Fußball.
5 Wenn ______________________, liege ich mit einer Wärmflasche auf dem Sofa.

2 Über mich

What did you mark in exercise 1? Write sentences with *wenn*. If you'd like to practice some more, you can write a sentence for every example in exercise 1.

Es geht mir gut / Es macht mich glücklich, ...

wenn ich in Ruhe Zeitung lesen kann.

____

____

____

____

____

INFO

Sentences with **wenn** *(when)* are subordinate clauses and the verb goes at the end. Notice the position of the verb in the main clause.
Wenn ich am Abend sehr müde **bin, gucke ich** gern Fußball.
Ich gucke gern Fußball, **wenn** ich am Abend sehr müde **bin.**
Don't confuse **wenn** with the question word **Wann?**:
Wann guckst du Fußball? – **Wenn** ich sehr müde bin.

3 Gut aussprechen: *f, v, w*

▶ 15.02 **Listen and repeat. Notice the letters marked in blue.**

Wenn ich Klavier spiele →, geht es mir gut. ↘
Früher habe ich sehr viel geraucht →, wenn ich Stress hatte. ↘
Ich gehe gern im Wald spazieren → oder wandere in den Bergen. ↘
Wisst ihr →, was das Beste gegen Stress ist? ↗
Fußball gucken! ↗
Ich verstehe nichts von Fußball →, aber es ist so wunderbar entspannend. ↘
Wenn ich Bauchschmerzen habe →, liege ich mit einer Wärmflasche auf dem Sofa. ↘

INFO

If you pronounce **w** like in English, you'll immediately be marked down as a non-native speaker. The German **w** (**wenn, wissen …**) equates to the English sound [v] (**veal, very …**). The German letter **v** is pronounced [f] (**verstehen, von …**), but in words that are not originally German, it's pronounced as in English, so [v] (**Klavier, Violine …**). Crazy, isn't it?

WORDS

gegen	*against*
Ich verstehe nichts von …	*I know nothing about …*
entspannend	*relaxing*

4 Richtig schreiben: *f, v, w*

▶ 15.03 **Fill in the missing letters. Then listen to what Paula says and read the text out loud.**

Pünktlichkeit ist mir sehr wichtig. ___enn mein Bus ___erspätung hat, ___erde ich ner___ös. Ich ___ill pünktlich bei der Arbeit sein. Einmal habe ich um ___ün___ Uhr morgens auf den Bus ge___artet. Zehn Minuten, z___anzig Minuten, kein Bus. Schließlich bin ich nach Hause gelau___en, habe mein ___ahrrad genommen und bin den ganzen ___eg zum Krankenhaus ge___ahren: z___öl___ Kilometer! Die Nachtschwester ___ar überrascht: „___as machst du schon hier, Paula?", hat sie ge___ragt. Es ___ar erst ___ier Uhr. Ich ___ar zu ___rüh!

WORDS

überrascht sein	*to be surprised*

5 Sprechen

▶ 15.04 **Answer the questions using the prompts as help. You will then hear the right answer. Listen to an example first.**

1 Kopfschmerzen bekommen
2 sich super fühlen
3 schlecht schlafen
4 glücklich sein
5 trotzdem gute Laune haben
6 Lust auf einen heißen Kakao haben

■ Wie geht es dir, wenn das Wetter sich ändert?
■ Wenn das Wetter sich ändert, bekomme ich Kopfschmerzen.

WORDS

sich ändern	*to change*
sich fühlen	*to feel*
gute/schlechte Laune haben	*to be in a good/bad mood*

6 Lesen

a Do you believe people can be affected by the weather? What do you think? Mark with crosses. Then read the text and compare it with your own opinion.

- ☐ Ich weiß ganz sicher, dass es Wetterfühligkeit gibt.
  I'm absolutely certain that people can be affected by the weather.
- ☐ Ich glaube, dass es wetterfühlige Menschen gibt.
  I think some people are sensitive to the weather.
- ☐ Ich bin nicht sicher, aber ich denke Ja.
  I'm not sure but I think so.
- ☐ Ich habe keine Ahnung und es ist mir auch egal.
  I have no idea and I don't care either.

WORDS

beantworten	*to answer*
wohl	*well*
• der Einfluss, ⸚e	*influence*
sich auswirken, wirkt sich aus, hat sich ausgewirkt	*to have an effect*
schwitzen	*to sweat*
frieren, hat gefroren	*to be freezing*
• Grund, ⸚e	*reason*
schuld sein	*to be to blame*
am Tag zuvor	*the day before*
teilnehmen, nimmt teil, hat teilgenommen	*to take part*

Sind Sie wetterfühlig?

Mehr als 50 Prozent der Deutschen beantwortet diese Frage mit Ja. Student Hannes zum Beispiel glaubt, dass sein rechtes Knie immer dann wehtut, wenn das Wetter sich ändert. Seine Großeltern Heidemarie und Werner, beide 70 Jahre alt, fliegen jedes Jahr im Herbst nach Spanien und bleiben den ganzen Winter dort. Heidemarie hat Rheuma und fühlt sich bei den Frühlingstemperaturen in Südspanien wohler als im kalten Deutschland.
Stimmt es wirklich, dass das Wetter Einfluss auf den Körper hat? „Es ist ganz klar, dass das Wetter sich auf den Organismus auswirkt", sagt der Arzt Dr. Christoph Schmidt. „Es ist normal, dass man an warmen Tagen schwitzt. Und es ist normal, dass man an kalten Tagen friert. Deshalb überrascht es auch nicht, dass Rheuma-Patienten an kalten Tagen Probleme haben." Der Arzt meint, dass die Wetterfühligkeit subjektiv ist: Wenn Student Hannes Knieschmerzen hat, sucht er nach dem Grund. Dann sieht er, dass das Wetter sich geändert hat. Für ihn ist klar: Das Wetter ist schuld! Hannes sollte aber jeden Tag notieren, wie es ihm geht. Das zeigt ihm bald, dass er auch dann Schmerzen im Knie hat, wenn das Wetter genauso ist wie am Tag zuvor.
Und was ist mit der Laune? Hannes hat an einem Projekt an seiner Uni teilgenommen. Er und andere Studenten sollten junge Frauen zwischen 18 und 25 Jahren um ihre Telefonnummer bitten. Das Resultat: Flirts sind an sonnigen Tagen erfolgreicher als bei Regen. Denn bei Sonnenschein waren fast 25 Prozent der jungen Frauen an einem Kontakt interessiert, bei Wolken am Himmel nur 15 Prozent. „Sonnenschein hat eine positive Auswirkung auf die Laune, deshalb sind wir offener", sagt Hannes' Professor Martin Berger.

b What's right? Read again and mark with crosses.

1 Viele Deutsche ☐ sind wetterfühlig. ☐ glauben, dass sie wetterfühlig sind.
2 Experten ☐ finden es normal, ☐ sind überrascht, dass das Wetter Einfluss auf den Körper hat.
3 Menschen haben bessere Laune, wenn das Wetter ☐ gut ☐ schlecht ist.

c Mark at least three example sentences with *dass* in the text and circle the verb.

INFO

Sentences with **dass** *(that)* are subordinate clauses. The conjugated verb goes at the end, as in all subordinate clauses.

7 Hören

▶ 15.05 **What's made you angry/happy this week? What do the people answer in the radio survey? Listen as often as necessary and fill in.**

WORDS

dabei sein	*to be there*
• Freude, -n	*joy*

1 Ich habe mich gefreut, dass ____________________.
Ich habe mich geärgert, ____________________
zu unserem Date ____________________.

2 Meine Freude war, ____________________
____________________. Ich habe mich aber
geärgert, ____________________.

3 Ich habe mich gefreut, ____________________
____________________.
Ich hatte keinen Ärger.

4 Ich war froh, ____________________ von meinem
besten Freund dabei sein ____________________. Ich habe mich geärgert,
____________________.

8 Über mich

What's made you particularly happy or angry in the last week? Fill in.

Ich habe mich letzte Woche gefreut, ____________________.
Ich habe mich letzte Woche geärgert, ____________________.

9 Hören und Lesen

▶ 15.06 **a What's right? Listen and read the conversations, then connect the sentences.**

Mit wem spricht Paula und worüber? *Who is Paula talking to and what about?*

1 Paula spricht	mit einem Patienten	über ihren Exfreund.
2 Paula spricht	mit ihrer Freundin	über Freizeitpläne.
3 Paula spricht	mit ihrem Freund	über eine Operation.
4 Paula spricht	mit einem Kollegen	über Pünktlichkeit.

WORDS

• Freizeitplan, ¨e	*plans for yo free time*

1 ■ Ich bin so müde. Ich freue mich schon auf Montag.
■ Darauf freue ich mich auch. Dann habe ich vier Tage frei.
■ Ich auch. Was hast du an deinen freien Tagen vor?
■ Meine Freundin und ich fahren nach München. Zum Oktoberfest. Komm doch mit!
■ Danke für das Angebot, aber darauf habe ich ehrlich gesagt keine Lust. Zu viele Leute.

2 ■ Guten Tag, Herr Lehmann. Wie fühlen Sie sich?
■ Danke, nicht schlecht. Aber ich habe Angst vor der Operation heute.
■ Davor müssen Sie keine Angst haben. Unser Chefarzt hat viel Erfahrung.
■ Das hoffe ich.

3 ■ Ich habe jetzt eine Stunde auf dich gewartet, Tim. Du könntest wenigstens anrufen, wenn du später kommst.
■ Ach komm, das ist doch nicht so schlimm.
■ Doch! Es zeigt, dass du keinen Respekt hast und dass ich dir nicht wichtig bin. Ich bin wirklich sauer! Und außerdem: ...

4 ■ Was ist los, Paula? Du siehst so traurig aus.
■ Ja, das bin ich auch. Mit Tim ist Schluss. Wir haben uns gestritten.
■ Oje. Worüber denn?
■ Über alles. Zu jedem Date kommt er zu spät. Und nie hat er Zeit. Seine Kumpel sind ihm wichtiger als ich. Ich bin so enttäuscht von ihm.

WORDS

• Leute	*people*
Ach komm ...	*Oh, come on ...*
sauer	*angry*
traurig	*sad*
Mit ... ist Schluss.	*... and I have split up.*
• Kumpel, -	*mate*

INFO

Nouns, adjectives and specially verbs can be followed with a certain preposition. So it's best to learn the whole expression by heart:
Angst haben **vor** + **dative** (*to be scared of*)
(sich) streiten **über** + **accusative** (*to argue about*)
enttäuscht sein **von** + **dative** (*to be disappointed with*)

b Read the conversations again and note down the answers.

1 Worauf freuen sich Paula und ihr Kollege? Auf ______________.
2 Worauf hat Paula keine Lust? Auf ______________.
3 Wovor hat Herr Lehmann Angst? Vor ______________.
4 Auf wen hat Paula gewartet? Auf ______________.
5 Mit wem hat Paula gestritten? Mit ______________.
6 Worüber haben sie gestritten? Über ______________.

INFO

With expressions that have a fixed preposition, you can ask about "things" using **wo(r)** + preposition: **Worauf? Worüber? Wovor?** ...
To ask about people, you use **wen** (accusative) or **wem** (dative): **Auf wen? Mit wem?** ...

c Read again, if necessary, and write down who or what is meant by the pronouns.

1 Darauf (= Montag) freue ich mich.
2 Darauf (= ______________) habe ich ehrlich gesagt keine Lust.
3 Davor (= ______________) müssen Sie keine Angst haben.
4 Ich bin so enttäuscht von ihm (= ______________).

INFO

If a person or thing has already been mentioned, you can avoid repeating it/them. A person can be substituted for a personal pronoun, things with **da(r)** + preposition.
Der Chef? Ich habe Angst **vor ihm.**
Die Operation? Ich habe Angst **davor.**
Notice: **darauf, darüber ...**

10 Üben: *worauf, darauf ...*

It's Monday morning. Radio presenter Kathi has asked her listeners another question: *Worauf freut ihr euch diese Woche? Wovor habt ihr Angst?* Read some of the answers and fill in.

INFO

Notice the difference in meaning:
sich freuen auf — *to look forward to*
sich freuen über — *to be pleased/happy about*

WORDS

• Daumen drücken — *fingers crossed*

1	09:05 USA-01	Ich habe diese Woche einen Termin beim Zahnarzt. __________ habe ich große Angst.
2	09:06 Robbi	Am Mittwoch bekomme ich mein E-Bike. __________ habe ich schon lange gewartet. Ich habe es schon vor einem halben Jahr bestellt!
3	09:09 HamidaL.	Ich habe heute meinen ersten Arbeitstag in Deutschland. Ich freue mich __________, aber ich habe auch Angst __________. Daumen drücken, bitte!
4	09:12 Tigerkatze	Gestern haben mein Freund und ich uns gestritten. Ich habe mich wirklich sehr __________ __________ geärgert! Aber er hat sich entschuldigt. Heute Abend gehen wir essen. Hoffentlich chinesisch. __________ habe ich am meisten Lust.
5	09:15 Tiger_X	Chinesisch? __________ müssen wir noch sprechen, Tigerkatze. ☺ Ich freue mich auch schon auf heute Abend.

11 Hören

▶ 15.07 **a You've probably got angry with your colleagues more than once, too. Listen to four conversations. Why is there a conflict? Match them to the right number.**

1 Es ist kein Papier mehr im Drucker. Gespräch ____
2 Der Kollege arbeitet nicht genug. Gespräch ____
3 Der Kollege telefoniert sehr laut. Gespräch ____
4 Der Kollege hat etwas genommen, was ihm nicht gehört. Gespräch ____

b It's not easy to criticise someone. How polite do you have to be? How direct can you be? Listen again – who criticises how?

1 *direct but polite* Gespräch ____ und ____
2 *rude to outrageous* Gespräch ____ und ____

WORDS

• Drucker, -	*printer*
laut	*loud/ly*

12 Sprechen

What do these sentences mean? Try to work out their meaning with the German you've learned so far and connect them. If necessary, listen to the conversations in exercise 11 again.

1 Mir ist aufgefallen, dass Sie viele private Dinge in der Arbeitszeit machen.
2 Na und? Was geht Sie das an?
3 Das ist nicht wahr.
4 Schon gut. Aber das nächste Mal fragst du vorher.
5 Das gibt's doch nicht!
6 Es nervt mich total, dass du nie Papier in den Drucker legst.
7 Vielleicht könnten Sie in Zukunft daran denken.
8 Tut mir leid, es war nicht böse gemeint.

a *It really annoys me that you never put any paper in the printer.*
b *That's not true.*
c *Perhaps you could keep it in mind in future.*
d *So? What business is it of yours?*
e *Sorry, no offence.*
f *I've noticed you do a lot of private things during work hours.*
g *It's all right. But next time ask beforehand.*
h *I don't believe it!*

INFO

In German-speaking countries, a lot of people are very specific about what they don't like. It's nothing personal against you! An indirect message like **Es ist ziemlich warm im Büro.** will not necessarily be taken by your colleague as a request to open the window or turn the heating down. What you want or what's bothering you needs to be made absolutely clear. However, it's not a good idea to go to the other extreme either. Accusations like **Du machst alles falsch!** or **So geht das nicht!** are hurtful in German, too. Careful formulations like **Könntest du ...? / Wäre es in Ordnung ...?** (see Unit 9) or starting with **Ich** to show a personal feeling (**Ich finde es nicht so gut, dass ... / Ich hoffe, Sie verstehen, dass ...**) are much more polite.

13 Sprechen

a What goes where? Take a sheet of paper and put the phrases in the right column.

~~Kann ich kurz mit Ihnen sprechen?~~ Spinnst du?
Mir ist aufgefallen, dass ... Oh, das ist mir noch gar nicht aufgefallen.
Na und? Was geht Sie das an? Ich finde es nicht so gut, dass ...
Es ist nicht schön, dass ... Das ist nicht wahr. / Das stimmt nicht.
Das kannst du doch nicht machen! Entschuldige.
Ich hoffe, Sie verstehen, dass ... In Ordnung. Das gibt's doch nicht.
Es nervt mich total, dass ... Tut mir leid, es war nicht böse gemeint.
Darf ich Ihnen etwas sagen? Klar, das mache ich. Es ist schade, dass ...
Das ist nicht fair!

criticising in a direct but polite way	criticising in a rude to outrageous way	reacting to criticism in a friendly way / apologising	rejecting / reacting to criticism in an unfriendly way
Kann ich kurz mit Ihnen sprechen?			

▶ 15.08 **b Put the conversation in the right order. Then listen again and compare.**

☐ ■ Mir ist aufgefallen, dass Sie viele private Dinge in der Arbeitszeit machen.
☐ ■ Es ist schade, dass Sie das so sehen. Ich hoffe, Sie verstehen, dass ich darüber mit dem Chef sprechen muss.
1 ■ Herr Meisner, kann ich kurz mit Ihnen sprechen?
☐ ■ Na ja, ich finde es nicht so gut, dass Sie bei der Arbeit im Internet surfen und mit dem Smartphone spielen. Wir haben im Moment alle viel zu tun. Es kann nicht sein, dass wir anderen alles machen müssen.
☐ ■ Ja? Was gibt es denn?
☐ ■ Na und? Was geht Sie das an?
☐ ■ Das ist nicht wahr. Ich arbeite mehr als Sie alle zusammen. Ich bin einfach schneller, da kann ich auch einmal fünf Minuten Pause machen.

WORDS
Was gibt es denn? *What's up?*

14 Sprechen: Karaoke

▶ 15.09 **Listen and react by reading the answers out loud.**

■ ... ■ Ach, das war dein Joghurt. Den habe ich gegessen.
■ ... ■ Entschuldige. Aber der Joghurt war schon vier Wochen im Kühlschrank. Ich habe gedacht, dass den jemand vergessen hat.
■ ... ■ In Ordnung.

WORDS
• Kühlschrank, ¨-e *fridge*
vergessen, vergisst, hat vergessen *to forget*

15 Wörter und Wendungen

We've hidden a lot of words containing the letter "w" in this unit. Here's how you can practice your pronunciation. Look for nine words with the letter "w" in the unit that you didn't know before and translate them. Then say the words out loud.

German	English	German	English
schwitzen	______	______	______
______	______	______	______
______	______	______	______
______	______	______	______
______	______	______	______

16 Grammatik: Nebensätze mit *wenn*

In temporal clauses, you use **wenn** *(when)* for events in the present or future and for repeated actions in the past. The conjugated verb goes at the end of a **wenn** clause.
Früher habe ich sehr viel geraucht, **wenn** ich Stress **hatte**.
Main clauses and subordinate clauses can always swop position. **Wenn** clauses are frequently put before the main clause. Be careful with the position of the verbs in main and subordinate clauses.
Wenn ich am Abend sehr müde **bin, gucke** ich gern Fußball.

17 Grammatik: Nebensätze mit *dass*

Clauses with **dass** *(that)* are also subordinate clauses and the conjugated verb goes at the end. **Dass** clauses mostly follow verbs of opinion and of saying, verbs that express feelings and moods, and impersonal expressions with **es**:
Der Arzt **meint,** dass die Wetterfühligkeit subjektiv **ist**.
Masoud **war froh,** dass er auf der Hochzeit dabei sein **konnte**.
Es ist normal, dass man an warmen Tagen **schwitzt**.
In everyday speech, **dass** is often left out after verbs of opinion and of saying.
Ich glaube, dass ich wetterfühlig **bin**. → **Ich glaube,** ich **bin** wetterfühlig.

18 Üben

Fill in *dass* or *wenn*.

Ich bin gern allein. Es macht mich glücklich, ________ (1) ich Zeit für mich allein habe. Deshalb freue ich mich, ________ (2) ich nächstes Wochenende nach Südtirol fahren darf. Drei Tage wandern und klettern. Nein, ich habe keine Angst, ________ (3) ich allein in den Bergen unterwegs bin. Ich fühle mich sicher, ________ (4) ich in der Natur bin. Es ist klar, ________ (5) ich mein Smartphone dabeihabe. Es überrascht mich, ________ (6) andere Leute Angst haben, ________ (7) sie allein sind.

19 Grammatik: Nomen, Adjektive und Verben mit fester Präposition

As in English, a noun, adjective and particularly a verb can require a certain preposition.
warten **auf** jemanden/etwas *to wait for sb./sth.*
The preposition is a fixed part of the word/expression and should be learned with it.
The preposition also specifies the case:

> **aus, bei, mit, von, vor, zu +** dative (zufrieden sein mit, Angst haben vor ...),

> **für, über, um +** accusative (sich ärgern über, sich interessieren für ...),

> **an, auf, in** can take either dative or accusative. The only thing to do here is to learn them by heart (teilnehmen an + dative, denken an + accusative ...).

A preposition and the question words **wen** (accusative) or **wem** (dative) are used to ask about a person:
Auf wen hat Paula gewartet?
Mit wem hat Paula gestritten?

To ask about a thing, you use **wo(r)** + preposition – the **r** is slipped in between if the preposition begins with a vowel:
Wovor hast du Angst?
Worauf freust du dich?

People and things that have already been mentioned don't have to keep being repeated during a conversation. A person can be substituted for a personal pronoun in the correct case and a thing can be substituted for **da(r) +** preposition:

Ich habe **vor** mein**em** Chef / **vor ihm** Angst.
Paula ärgert sich **über** Tim. / **über ihn.**

Ich habe **vor** d**er** Operation / **davor** Angst.
Paula ärgert sich **über** Verspätungen. / **darüber.**

20 Üben

Fill in the question words.

1 In wen hat Sofia sich verliebt? – In Kevin.
2 ____________ denkst du? – An nichts Besonderes.
3 ____________ freust du dich so? – Über mein neues E-Bike. Es ist toll!
4 ____________ lacht ihr? – Über den Film.
5 ____________ telefonierst du? – Mit meiner Mutter.
6 ____________ sprecht ihr? – Über das neue Projekt mit der Firma Danofeel.
7 ____________ hast du Lust? – Auf ein schönes kühles Bier.
8 ____________ bist du nicht zufrieden? – Mit meiner Kollegin.

15 German angst

In Germany, people love borrowing English words. Anything that can be expressed in English somehow sounds hip and modern. But there's one German word that has managed to travel in the other direction and has become popular abroad – the famous German **Angst**. There are examples galore proving that Germans are worriers and security freaks: whilst in other countries gene technology is regarded as a beneficial development, in Germany people take to the streets to protest against gene-manipulated food. Nowhere else has the development of Google Street View been stopped because people didn't want to have their homes on Internet, not to mention on the servers of some data giant. And the Germans are also world champions at saving money, they prefer safe investments, even if the interest they get is lousy.
So what's behind all this fear and worry? According to some experts, the extreme need for security has its roots in the trauma of World War II, which has etched itself on people's collective memory. A lot of Germans do in fact have a love/hate relationship with their country. Whereas Italians and Americans happily embrace their fellow countrymen abroad, Germans often eschew contact with their own or try to avoid being recognised as German at all.
That's why no one was more surprised than the Germans themselves during the FIFA World Cup in 2006 when Germany showed itself to be cosmopolitan and an as yet unknown easygoingness drifted through the whole country, which went down in history as the **Sommermärchen** (*summer fairy tale*).
But the country continues to nurse its fear. Although the economy is generally strong, although the Germans are safe in their social security system, envied by many, and although their national football team mostly plays right through to the finals, Germans don't trust the peace. He who is poor has nothing to lose, he who is rich does. Could that be what's really at the heart of this German fear (of loss)?

16 Pläne und Träume

In this unit you will learn to talk about your aims, hopes and dreams:

- saying what you want for yourself
- saying what your future plans are
- being interviewed

16 Ich wäre gern mein eigener Chef.

1 Hören und Lesen

▶ 16.01 **a A newspaper has interviewed some young people about what they want in the future. Who wants what? Listen to the extracts and match them up.**

1 Caroline **2** Oliver **3** Pjotr **4** Lana **5** Neo

A

B

C

D

E
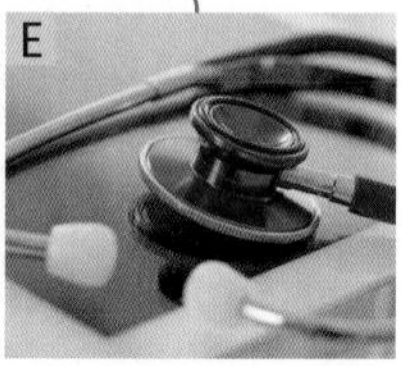

b Now read what the paper publishes and mark all the sentences that express a wish.

A
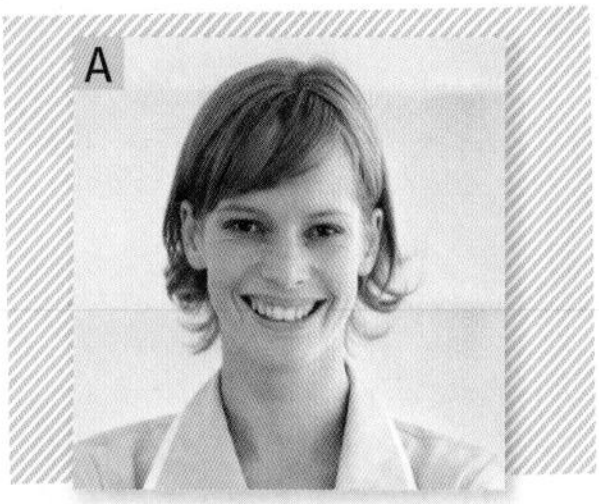

_ _

Ich bin Krankenschwester. Ich liebe meinen Beruf, weil ich sehr gern helfe. Ich finde es toll, dass ich in meinem Beruf viel mit Menschen arbeite. Aber ich würde gern noch mehr helfen. Deshalb wäre ich lieber Ärztin.

B

_ _

Ich wünsche mir eine Familie. Ich bin Single, aber ich wäre gern verheiratet. Leider habe ich keine Freundin. Ich habe nicht viel Zeit, weil ich sehr viel arbeite, aber jetzt habe ich mich zum Yoga angemeldet. Ich hoffe, dass ich dort ein nettes Mädchen kennenlerne. Ich hätte wirklich gern eine Freundin.

C

_ _

Ich fahre einen alten Peugeot. Natürlich würde ich lieber ein schickes neues Auto fahren, aber ich habe kein Geld. Deshalb habe ich einen 25 Jahre alten Peugeot. Am liebsten hätte ich aber einen roten Porsche!

INFO

reality	wish
Ich **bin** Krankenschwester,	aber ich **wäre** gern Ärztin.
Ich **habe** einen alten blauen Peugeot,	aber ich **hätte** gern einen roten Porsche.
Ich **arbeite** viel mit Menschen.	Aber ich **würde** gern noch mehr **helfen**.

D

Ich wandere und klettere sehr gern, weil ich die Berge liebe. Ich bin am glücklichsten, wenn ich nach einer langen anstrengenden Tour auf dem Gipfel stehe und ins Tal gucke. Ich habe schon viele Berge bestiegen, aber ich würde so gern einmal den Mount Everest besteigen.

E

Ich liebe Technik. Ich interessiere mich für Elektronik, besonders für Roboter. Die finde ich am interessantesten. Ich arbeite als Ingenieur für DE Electronics. Das ist ein großer Konzern. Wir bauen Roboter für die Industrie und exportieren sie in andere Länder. Das macht mir großen Spaß, aber am liebsten würde ich Roboter für Krankenhäuser bauen, zum Beispiel für Operationen. Am liebsten hätte ich mein eigenes Unternehmen. Dann wäre ich mein eigener Chef.

2 Üben: Wünsche

Fill in the sentences with the information from exercise 1.

1 Caroline _ist_ Krankenschwester, aber sie _wäre_ lieber Ärztin.

2 Oliver ________ Single, aber er wünscht sich eine Familie. Er ________ sehr gern verheiratet und ________ gern eine Freundin.

3 Pjotr fährt ein altes Auto, aber er ________ sehr gern einen roten Porsche fahren.

4 Lana wandert und klettert sehr gern. Am liebsten ________ sie den Mount Everest besteigen.

5 Neo ________ Ingenieur und bei DE Electronics angestellt. Er ________ aber lieber sein eigener Chef.

WORDS

sich anmelden, meldet sich an, hat sich angemeldet	*to register*
● Mädchen, -	*girl*
● Gipfel, -	*peak*
● Tal, ¨er	*valley*
besteigen, hat bestiegen	*to climb*
bauen	*to build*
eigen	*(one's) own*
● Unternehmen, -	*company*

WORDS

angestellt sein	*to be employed*

3 Über mich

What do you want for yourself? Write down your own hopes and wishes.

Ich wäre gern ________________

Ich hätte gern ________________

Ich würde gern einmal ________________

4 Hören und Lesen

▶ 16.02 **Neo is talking to a friend about his career plans. Listen to the conversation and read along. Mark all the sentences that contain *werden* in blue, all the sentences that express a wish in yellow and all the sentences that contain *wollen* in green.**

■ Hi, Neo. Wie geht's?

■ Gut, aber meine Arbeit ist nicht das Richtige für mich. Da muss sich etwas ändern.

■ Was ist denn los?

■ Ach, ich arbeite doch als Angestellter bei DE Electronics. Ich mag den Job, aber ich würde lieber Roboter für Krankenhäuser bauen. Das geht dort nicht, aber kündigen will ich auch nicht. Ich will doch Karriere machen!

■ Mach dich doch selbstständig!

■ Mein eigener Chef wäre ich schon sehr gern ...

■ Du könntest zuerst einen Job im Krankenhaus suchen. Im technischen Bereich ...

■ ... und die Branche kennenlernen! Das ist eine tolle Idee, das mache ich. Ich werde mir einen Job im Bereich Medizintechnik suchen und alles Wichtige lernen.

■ Und in zehn Jahren ...

■ ... werde ich mein eigener Chef sein!

INFO

Nominalized adjectives are spelled with a capital letter. That's why adjectives used after the words **alles**, **nichts** and **etwas** are capitalized:
alles Wichtige, **nichts** Wichtiges, **etwas** Schönes.

WORDS

kündigen	*to give notice*
sich selbstständig machen	*to become self employed*
• Bereich, -e	*field*
• Branche, -n	*sector*

INFO

In German, the future form (**werden** + infinitive) is used far more to express forecasts and hopes than to talk about future events.
Ich **gehe** morgen ins Kino.
Ich **werde** mein eigener Chef sein. (forecast)

5 Über mich

Make some notes about your own career plans. Say what you are now, what you'd like to be and where you'll be in ten years' time.

WORDS

aktuell	*currently*

Ich bin (aktuell) ... | Ich arbeite im Moment als ... | In fünf / zehn Jahren werde ich ... Das ist sicher! | Jetzt / Später werde ich ...

6 Lesen

Neo is looking for a job in the technical division of a hospital. He finds the following job advertisement. Which of the following statements are true ☺, which are false ☹ and which statements does the text say nothing about? Mark them.

LifeFA ist ein internationales Unternehmen in der Medizintechnik. Wir produzieren Roboter und Maschinen für Krankenhäuser. Ohne unsere Produkte kann kein Arzt arbeiten und kein Krankenhaus funktionieren.
Für unsere Teams in **Hannover, Köln, Augsburg** und **Berlin** suchen wir zum nächstmöglichen Zeitpunkt

Medizintechnik-Ingenieure (m/w)

AUFGABEN:
Sie entwickeln, reparieren und stellen medizinisch-technische Maschinen her und kontrollieren die Qualität unserer Produkte.

IHR PROFIL:
- Sie sind Ingenieur mit Schwerpunkt Medizintechnik, Elektrotechnik oder Mechatronik.
- Sie haben schon im Bereich Medizintechnik gearbeitet.
- Sie haben Erfahrung mit medizinisch-technischen Produkten.
- Sie sind motiviert und arbeiten gern selbstständig.

UNSER ANGEBOT:
- interessante Aufgaben
- ein gutes Gehalt
- ein junges Team

Sie glauben, dass Sie zu uns passen? Dann bewerben Sie sich bitte bis zum 31. Mai bei uns unter bewerbung@lifeFA.com.

Haben Sie noch Fragen? Dann rufen Sie uns an.
Ansprechpartnerin: Christiane Gruber,
Tel.: 06912 / 587 32 45

WORDS

funktionieren	*to work/function*
zum nächstmöglichen Zeitpunkt	*as soon as possible*
m/w (männlich/ weiblich)	*male/female*
• Aufgabe, -n	*task*
entwickeln	*to develop*
herstellen, stellt her, hat hergestellt	*to manufacture*
• Schwerpunkt, -e	*to be specialized in*
• Gehalt, ¨-er	*salary*
sich bewerben, bewirbt sich, hat sich beworben	*to apply*
• Ansprechpartnerin, -nen	*contact person (female)*

	☹	☺	keine Informationen
1 LifeFA hat weibliche und männliche Angestellte.	☐	☐	☒
2 LifeFA verkauft seine Produkte an Krankenhäuser.	☐	☐	☐
3 LifeFA sucht Mitarbeiter.	☐	☐	☐
4 Es sollen sich nur Ingenieure mit Schwerpunkt Medizintechnik, Elektrotechnik oder Mechatronik bewerben.	☐	☐	☐
5 Man muss bei LifeFA oft Maschinen reparieren.	☐	☐	☐
6 Man soll sich per E-Mail bewerben.	☐	☐	☐
7 Bei Fragen darf man Christiane Gruber anrufen.	☐	☐	☐
8 Man kann die Bewerbung am 2. Juni schicken.	☐	☐	☐

7 Hören

▶ 16.03

Neo has a few questions about the job and calls the contact person, Christiane Gruber. He's made a note of his questions in preparation for the call. Listen to the conversation with Ms Gruber. How does Neo phrase his questions? Mark what you hear with crosses.

Gibt es auch in Stuttgart ein Team?
Arbeite ich wirklich im Bereich Produktion oder repariere ich die Maschinen nur?
Arbeite ich allein oder im Team?
Welche Referenzen soll ich schicken?

1 A ☐ Deshalb interessiert mich natürlich, ob es auch in Stuttgart ein Team gibt.
B ☐ Deshalb interessiert mich natürlich, wo es in Stuttgart ein Team gibt.

2 A ☐ Können Sie mir sagen, wie ich bei Ihnen Roboter entwickeln würde?
B ☐ Können Sie mir sagen, ob ich bei Ihnen wirklich Roboter entwickeln würde?

3 A ☐ Wissen Sie, welche Personen in dem Team arbeiten?
B ☐ Wissen Sie, wie viele Personen in einem Team arbeiten?

4 A ☐ Können Sie mir sagen, welche Referenzen ich schicken soll?
B ☐ Können Sie mir sagen, wohin ich meine Referenzen schicken soll?

WORDS

ob *whether*

INFO

Direct questions can often sound quite hard. Indirect questions are more polite. Notice the position of the verb.
Können Sie mir sagen, **ob** es in Stuttgart ein Team **gibt**?
Wissen Sie, **wie viele** Personen in einem Team **arbeiten**?
Other polite ways to begin are, for example:
Darf ich (Sie) fragen, ...
Ich würde gern wissen, ...

WORDS

● Unterlagen *documents*

8 Sprechen

▶ 16.04

Say it more politely! You will hear a direct question. Turn it into an indirect question. You will then hear the right answer. Listen to an example first.

1 Können Sie mir sagen ... **2** Darf ich fragen ... **3** Wissen Sie ...
4 Darf ich fragen ... **5** Können Sie mir sagen ...

■ Wohin soll ich die Unterlagen schicken?
■ Können Sie mir sagen, wohin ich die Unterlagen schicken soll?

9 Lesen

a Neo gets an email from LifeFA. Read the correspondence and answer the questions.

	richtig	falsch
1 Neo bekommt eine Einladung zu einem Vorstellungsgespräch.	☐	☐
2 Das Vorstellungsgespräch ist auf dem Land.	☐	☐
3 Das Vorstellungsgespräch findet nicht im Unternehmen statt.	☐	☐
4 Neo kann sich einen Termin aussuchen.	☐	☐
5 Neo fährt mit dem Zug zu dem Vorstellungsgespräch.	☐	☐
6 Er kennt den Weg zum Unternehmen nicht.	☐	☐

WORDS

● Vorstellungsgespräch, -e	*job interview*
prüfen	*to check*
● Anfahrtsbeschreibung, -en	*directions*
anbei	*attached*

Von	Carola Zapeta
An	Neo Ashanti
Betreff	Ihre Bewerbung

Sehr geehrter Herr Ashanti,
vielen Dank für Ihr Interesse an einer Mitarbeit in unserem Haus. Wir haben Ihre Unterlagen geprüft und würden Sie gern kennenlernen. Wir möchten Sie zu einem Gespräch am 18. Juni um 9:00 Uhr in unserem Haus in der Blumenstraße 120 in Neustadt einladen. Bitte geben Sie uns bis zum 12. Juni Bescheid, ob der Termin für Sie in Ordnung ist.
Mit freundlichen Grüßen
Carola Zapeta

Von	Neo Ashanti
An	Carola Zapeta
Betreff	AW: Ihre Bewerbung

Sehr geehrte Frau Zapeta,
vielen Dank für die Einladung zu dem Vorstellungsgespräch. Der Termin passt sehr gut. Ich freue mich auf das Gespräch. Könnten Sie mir vielleicht eine Anfahrtsbeschreibung schicken? Ich fahre mit dem Zug und weiß nicht genau, wie ich am besten zu Ihnen komme.
Herzliche Grüße und vielen Dank!
Neo Ashanti

Von	Carola Zapeta
An	Neo Ashanti
Betreff	AW: Ihre Bewerbung

Sehr geehrter Herr Ashanti,
anbei finden Sie eine Anfahrtsbeschreibung.
Herzliche Grüße, bis zum 18. Juni!
Carola Zapeta

Anfahrtsbeschreibung

b **Read the directions that Ms Zapeta sent Neo. What does he have to do to get there? Draw the route on the map.**

Anreise mit öffentlichen Verkehrsmitteln:
Vom Bahnhof Neustadt fahren Sie mit der U-Bahn bis zur Haltestelle Altstädter See. Dann gehen Sie am See entlang bis zum Tunnel an der Rosenstraße. Gehen Sie durch den Tunnel und nehmen Sie die zweite Straße nach rechts. Sie kommen zu einem Park. Gehen Sie vor dem Park nach links, dann den Park entlang bis zur Blumenstraße. Sie sehen unsere Firma dann schon. Es ist das graue Haus mit den großen Fenstern.

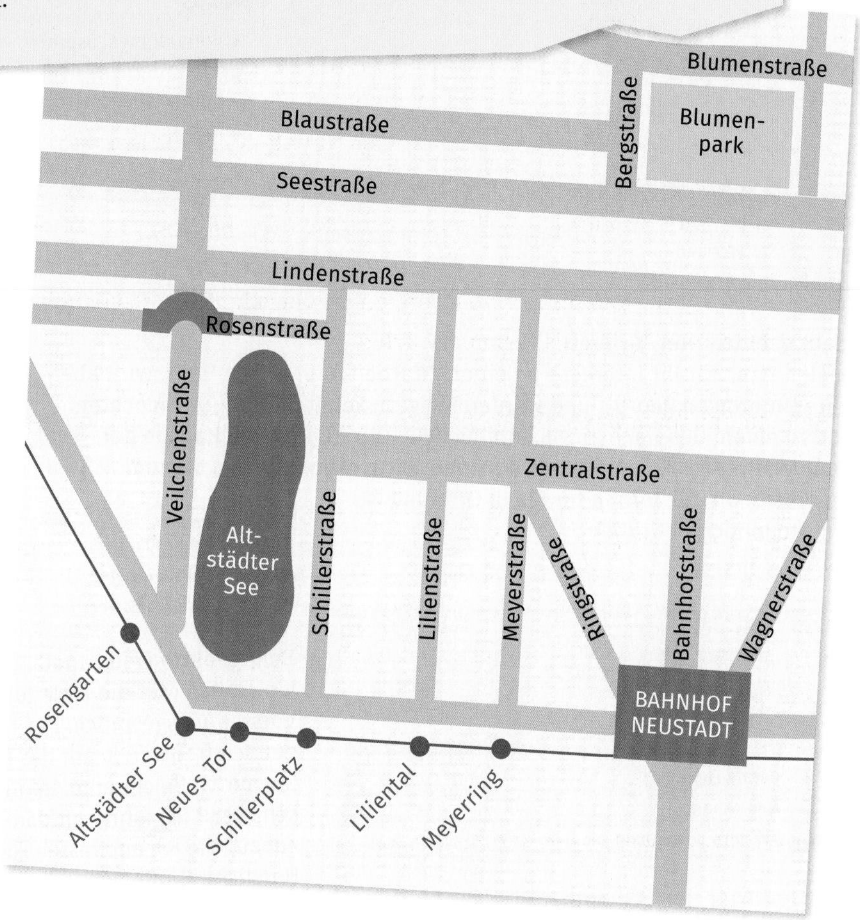

c **What streets must Neo walk along to get to Blumenstraße 120? Write them down.**

____

____

____

INFO

vom • Bahnhof	*from the station*
bis zur • Haltestelle	*to the bus stop*
durch den • Tunnel	*through the tunnel*
am • See **entlang,**	*alongside the lake*
but: **den** • See **entlang**	

10 Lesen und Hören

a Neo has been invited to LifeFA for an interview. Match the interviewer's questions to Neo's answers.

Und warum sollen wir Sie einstellen?
Was genau erwarten Sie von uns als Firma?
Erzählen Sie doch etwas von sich. Warum möchten Sie diese Stelle?
Und welches Gehalt hätten Sie gern?
Welche Ziele möchten Sie denn in den nächsten fünf Jahren bei uns erreichen?
~~Aber genau das ist doch Ihre Aufgabe bei DE Electronics. Warum wollen Sie dann zu uns?~~

■ ______________________________

□ Ich habe mich schon immer für Technik interessiert. Schon als Kind habe ich lieber Roboter gebaut als Fußball gespielt.

■ *Aber genau das ist doch Ihre Aufgabe bei DE Electronics. Warum wollen Sie dann zu uns?*

□ Ich habe gemerkt, dass ich Menschen helfen will. Nicht als Krankenpfleger oder so, sondern mit meiner Technik. Ich möchte Roboter bauen und damit Leben retten. Deshalb habe ich mich bei Ihnen beworben.

■ ______________________________

□ Ich würde gern Roboter für Operationen entwickeln. Die Gelegenheit dazu würde ich von Ihnen als Firma erwarten.

■ ______________________________

□ Ich bin ein Teamplayer, ich habe große Erfahrung im Bau von Robotern und lerne schnell.

■ ______________________________

□ Ich möchte alles über Technik in Krankenhäusern lernen. In fünf Jahren will ich Experte für Roboter in Krankenhäusern sein.

■ ______________________________

□ Oh, also bei DE Electronics verdiene ich 52000 Euro im Jahr ... Weniger wäre nicht so schön.

■ Das kann ich verstehen. Dann bedanke ich mich herzlich für Ihr Kommen. Sie hören von uns.

▶ 16.05 **b Listen to the conversation and compare.**

INFO

It's quite normal to discuss salaries in German interviews. You might even be asked to state how much you expect to earn in your job application.

WORDS

einstellen, stellt ein, hat eingestellt	*to employ*
erwarten	*to expect*
• Stelle, -n	*post/position*
• Ziel, -e	*target/aim*
merken	*to realize*
• Gelegenheit, -en	*opportunity*
sich bedanken	*to thank*

11 Wörter und Wendungen

a Translate into German.

1 the company ______	**2** to build ______
3 the peak ______	**4** currently ______
5 to register ______	**6** the contact person ______

b Write down eight words related to careers that you particularly want to remember in German.

German	English	German	English
______	______	______	______
______	______	______	______
______	______	______	______
______	______	______	______

12 Grammatik: Konjunktiv II mit *wäre, hätte, würde* als Ausdruck eines Wunsches

Wishes are expressed with the **Konjunktiv II**:

	sein	**haben**	**werden**
ich	**wäre**	**hätte**	**würde**
du	**wärst**	**hättest**	**würdest**
er/es/sie	**wäre**	**hätte**	**würde**
wir	**wären**	**hätten**	**würden**
ihr	**wärt**	**hättet**	**würdet**
sie/Sie	**wären**	**hätten**	**würden**

So the **Konjunktiv II** can express wishes, suggestions and advice.
Wish: Ich wäre gern ... / Ich hätte gern ... / Ich würde gern ... also: Ich möchte gern ...
Suggestion: Wir könnten ...
Advice: Du solltest ...

If the wish is a particular action, it must go at the end of the sentence.
Ich **hätte** gern einen Porsche. = Ich **würde** gern einen Porsche **kaufen**.

13 Üben

Fill in the right form of *würde, hätte, wäre.*

Ich habe so viele Wünsche. Ich ______ (1) gern die höchsten Berge besteigen. Außerdem ______ (2) ich gern einen Hund und eine Katze. Ich ______ (3) gern Arzt, denn ich ______ (4) gern Menschen helfen. Aber dann habe ich keine Zeit mehr für meine Hobbys. Ich ______ (5) gern Klavier spielen lernen – ja, Musiker ______ (6) ich auch sehr gern. Ein Arzt für Bergsteiger mit dem Hobby Klavier spielen, das ______ (7) wunderbar!

14 Grammatik: Futur I

The future tense **Futur I** is formed with a conjugated form of **werden** and a verb in infinitive: Ich **werde** viel **reisen**. Be careful – **werden** is one of the verbs that has a vowel change (**du wirst, er/es/sie wird**).
In German, the future tense is used to express forecasts and hopes far more than for future actions. So, the **Futur I** is not often used to show future events (as a rule, the present tense is used here, see Unit 5), but emphasises that you're convinced you'll be able to do something or that you're sure a forecast will come true.
In zehn Jahren **werde** (mit Sicherheit, definitiv) ich mein eigener Chef **sein**.

conviction/forecast	intention	wish
Ich **werde** mein eigener Chef sein.	Ich **will** mein eigener Chef sein.	Ich **wäre** gern mein eigener Chef.

15 Grammatik: Indirekte Fragen

Indirect questions are more polite than direct questions. The question is then formed as a subordinate clause. As in subordinate clauses with **dass** and **wenn** (see Unit 15), the question word goes straight after the comma and the conjugated verb moves to the end of the sentence.
Können Sie mir sagen, **wo** der Bahnhof **ist**?
Wissen Sie, **ob** es in Stuttgart ein Team **gibt**?
Basically, there are two types of indirect question:

- Indirect questions with the word **ob**. To turn a yes/no question into an indirect question, you need to introduce it with the word **ob**:
  Wissen Sie, **ob** es in Stuttgart ein Team gibt? – Ja.
- Indirect questions with a question word (**wer? was? wie? wo? wann? warum?** etc.)
  Können Sie mir sagen, **wo** der Bahnhof ist? – Gehen Sie geradeaus, dann nach links ...

16 Üben

Translate into German.

1 *Can you tell me where the Hotel Möwe is?*
Können Sie / Kannst du mir sagen, wo das Hotel Möwe ist?

2 *Can you tell me what this word means?*

______

3 *Do you know when the concert starts?*

______

4 *Do you know whether Paul's coming today?*

______

16 The paper god

Have a guess – in what situations are Germans generally lazy about writing?

The land of poets and thinkers? Of ideas and engineers? No, Germany is the land of paper. If you've got it on paper in black and white, it's sacred in Germany. Got a problem with a mail-order company? Write an email – and if it's a particularly difficult case, send a registered letter. Got a problem with your landlord? Clarify it in writing – and keep all the correspondence. Problems with the authorities? In writing! And if you feel it's too impersonal, here's a tip – phone them, summarise the results of the phone call in an email and send it to your contact person. And make sure you file all the correspondence away safely.

If you work in Germany, you'll see that at every meeting the minutes are taken and then handed out to all the participants. A tedious job which nobody questions. After all, a summary of the results of a discussion is not just a helpful reminder and information for the participants. "Politics through minutes" is a popular way of slightly changing unwelcome outcomes to suit oneself. So make sure you read the minutes of business meetings very carefully! And what about job applications? Every potential employer is, of course, delighted to see your references and they are certainly sometimes checked. But most important are the **vollständigen Unterlagen** *(complete dossier of documents)*, which are specifically asked for in many job advertisements. What they're looking for here is a curriculum vitae with no gaps and every step of the way supported by certificates or credentials, as well as a decent letter of application. If a document is missing, your application is likely to be rejected in the first round.

It's only when it comes to love that Germans are lazy about writing. Whereas love letters used to enjoy great popularity, nowadays at the very most you'll get a one-liner via smartphone. Here – and only here – you'll definitely achieve more by speaking than by writing.

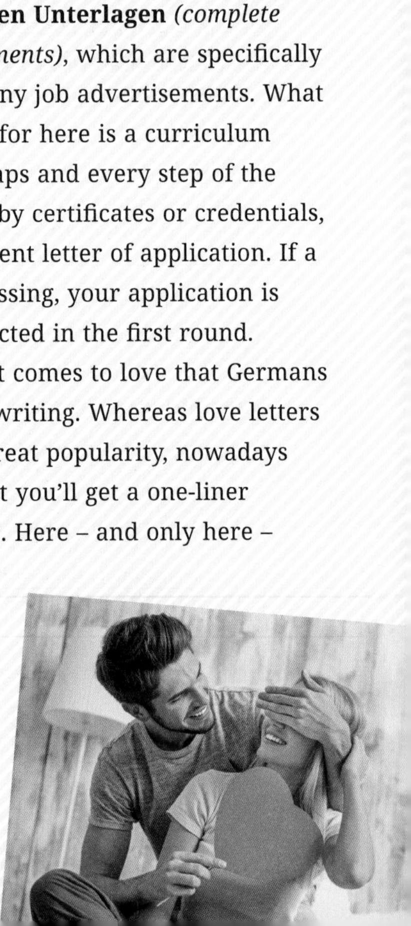

Wiederholung 4

You've managed to work through the whole course – congratulations! You can be proud of yourself. To finish, read the end of Lukas's story. If you can't remember exactly what happened in parts 1, 2 and 3 (after Units 4, 8 and 12), feel free to read them again!

Freitag, der 13. (Teil 4)

6:30 Uhr morgens in Hamburg

Sie haben Sina! Meine Sina! Ich kann es nicht glauben, aber das Display will einfach nichts anderes zeigen als diesen einen Satz. Tarik, Ilena und ich laufen los. Es ist neblig, fast sehen wir Oma Violas kleines Restaurant nicht. „Apfel & Paradies" steht auf dem großen Fenster neben der Tür. Das Restaurant ist dunkel, aber die Tür ist offen.

„Sina?" Im Raum stehen Tische. Ganz hinten gibt es eine lange Bar, über der Bar hängt eine Lampe. An der Wand hinter der Bar stehen Flaschen in einem Regal. „Guck mal!" Ilena zeigt auf die Lampe über der Bar. An der Lampe hängt ein Zettel[1]. „Rot ist die Liebe und schwarz ist was?" Nicht schon wieder[2]! „Es ist genug", sage ich. „Ich rufe jetzt die Polizei an."

„Warte!" Ilena zeigt hinter die Bar. Dort steht ein geöffneter Laptop. Der Cursor wartet auf das Passwort. Rot ist die Liebe und schwarz ist was? Die Antwort ist klar – der Tod[3]. Ist das ein Passwort? „Wenn die Polizei hier ankommt, ist es vielleicht zu spät", sagt Tarik. „Ich rufe jetzt die Polizei an und du schreibst. In Ordnung?" Okay. Ich gebe das Wort „Tod" ein. Ein Chatfenster öffnet sich.

„Hallo, Lukas. Wie geht es dir?" Wie es mir geht? Spinnen die? „Wo ist Sina???"

„Nicht weit. Aber willst du sie wirklich?"

„Wie bitte? Wer seid ihr? Was wollt ihr von mir?"

„Wer wir sind, ist egal. Was wir wollen?" Der Cursor stoppt einen Moment. „Was würdest du für sie tun?"

Was für eine Frage. „Alles!"

„Wirklich? Dann liebst du sie?"

„Ja, das tue ich. Und ich will sie zurück!"

„Würdest du dein Leben für sie geben?"

Würde ich das? Sina ist ein wunderbarer Mensch. Mit ihr wird selbst der graueste Regentag hell. Ein Leben ohne Sina? Geht nicht. Warum fällt mir das erst jetzt auf? Nach zwei Jahren? „Ja", gebe ich ein. „Ist es das, was ihr wollt?"

In diesem Moment öffnet sich hinter der Bar die Tür zur Küche. „Ilena, bitte warte hier auf Tarik", sage ich und gehe in die dunkle Küche. Ich gehe an der Wand entlang durch die Küche. Schließlich erreiche ich an der nächsten Wand die Tür zum Keller. Sie ist offen. Im Keller ist es heller. An der Treppe wartet der nächste Zettel. „Willst du mich heiraten?"

Das darf nicht wahr sein! „Ich will nur Sina heiraten!" Ich sehe drei Personen in schwarzer Kleidung. Ihre Gesichter verbergen sie unter schwarzen Mützen. Eine Person ist groß und dick, eine groß und dünn und die Person vor mir ist klein und rund. „Endlich! Das war aber auch Zeit." Die große Person mit dem dicken Bauch nimmt die Mütze vom Kopf. „Jacques?" Mein Chef? „Wie ... was ...?" Ich kann vor Schock nicht sprechen. „Hast du wirklich geglaubt, ein paar Tonnen Obst und Gemüse werden in einer Nacht einfach schlecht?", lacht er. „Wir mussten dich vom Schiff bekommen. Hat super funktioniert, oder? War übrigens Pedros Idee." Auch die zweite Person nimmt die Mütze vom Kopf. Es ist Pedro, mein Kollege.

„Und Tarik und Ilena ..."

„... sollten auf dich aufpassen[4]. Du solltest ja nicht die Polizei anrufen", sagt Pedro.

„Nicht so schnell", sagt die kleine, runde Person. „Zuerst müssen wir wissen, ob du Sina heiraten wirst."

Ich nicke[5]. „Gut", sagt sie und zeigt endlich auch ihr Gesicht.

„Oma Viola?!" Dann sehe ich ganz hinten eine schmale junge Frau – Sina! „Bitte ärgere dich nicht. Wir wollten dich nicht verletzten[6]", sagt sie. „Deine Oma will nur das Beste für uns." Ich weiß nicht, ob ich mich ärgern oder freuen soll. Eins aber weiß ich genau: „Ich liebe dich, Sina. Willst du mich wirklich heiraten?" frage ich sie. Sina nickt glücklich. „Weißt du, dass wir uns fast auf den Tag genau heute vor zwei Jahren kennengelernt haben?", sagt sie. Ich sehe sie an und der Raum wird hell. Ja, Freitag, der 13., ist wirklich mein Glückstag.

1 • Zettel, -	*note*	4 aufpassen	*to take care*
2 schon wieder	*again*	5 nicken	*to nod*
3 • Tod	*death*	6 verletzen	*to hurt*

1 Lesen

Read the text and decide whether the statements are true or false. Mark the right answer.

1 Lukas liebt Sina.

☐ richtig ☐ falsch ☐ keine Information im Text

2 Freitag, der 13., bringt Lukas Glück.

☐ richtig ☐ falsch ☐ keine Information im Text

3 Oma Viola verdient mit ihrem Restaurant viel Geld.

☐ richtig ☐ falsch ☐ keine Information im Text

2 Schreiben

How did you like Lukas's story? Write your opinion down using full sentences.

spannend langweilig interessant realistisch nicht realistisch anstrengend gut

Meiner Meinung nach ist die Geschichte interessant. Besonders gefallen hat mir ...

____

3 Üben: Präpositionen

Try to complete the floor plan of granny Viola's restaurant. What's where?

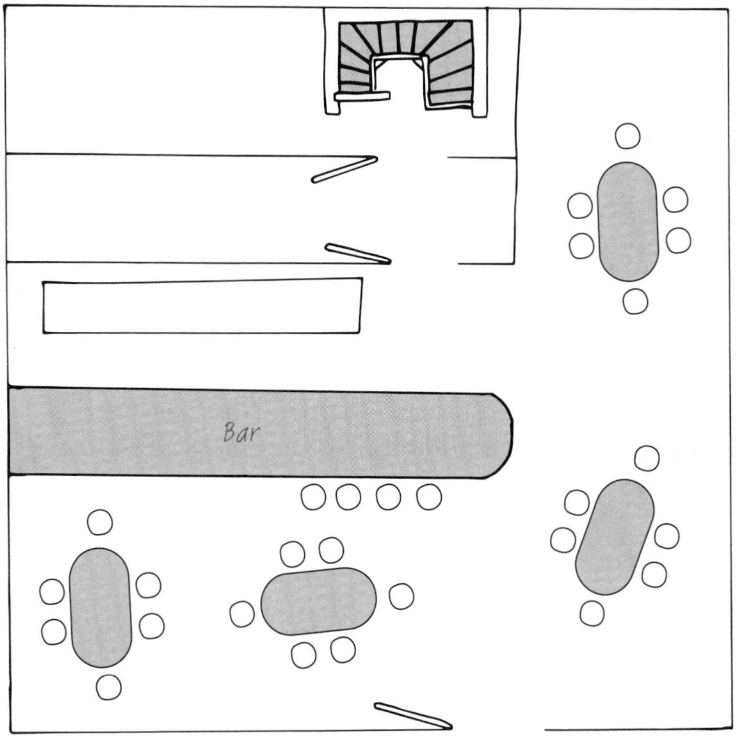

4 Üben: *dass* und *wenn*

→ Unit 15

Fill in *dass* or *wenn*.

1 Lukas glaubt, __________ er Sina retten muss.
2 Lukas ist froh, __________ es Sina gut geht.
3 Lukas kocht immer, __________ er fröhlich ist.
4 Oma Viola freut sich, __________ Sina und Lukas heiraten werden.

5 Üben: Indirekte Fragen

→ Unit 16

Put the questions into reported speech. Use the information from the story.

1 Wer sind die Leute im Restaurant „Apfel & Paradies?“

Lukas möchte wissen, wer die Leute im Restaurant „Apfel & Paradies“ sind.

2 Haben Tarik und Ilena von dem Plan gewusst?

Lukas fragt, ob ...

3 Will Sina Lukas heiraten?

____

4 War das Obst wirklich schlecht?

____

5 Wer hat den Plan entwickelt?

____

6 Hören

→ Unit 16

▶ W4.01

Lukas and Sina are planning their wedding and honeymoon. Listen to the conversation. Who wants/intends to/predicts what?

große Feier | tolle Reise | vor einem Standesbeamten heiraten | Rom sehen | ~~nur wenige Leute einladen~~ | in einer Kirche[7] heiraten | Urlaub am Meer | anstrengende Hochzeit | alle Freunde einladen

	Sina	Lukas
Prediction		
Intention		
Wish	*Ich würde am liebsten nur wenige Leute einladen.*	

7 • Kirche, -n *church*

1 Hören

T2.01 **Amy from Hong Kong is about to return home. She wants to buy some souvenirs for her family and friends. Her friend Lina is giving her some advice. Listen to the conversation and match the presents to the people. There's one present too many.**

Person	**Kolleginnen**	**Vater**	**Mutter**	**Freund**	**Freundinnen**
Lösung *(solution)*					

A

B

C

D

E

F

2 Lesen

Four people are looking for a job on the internet. Read the advertisements. Which advertisement suits which person? Match them up.

1 Henry studiert Elektrotechnik und möchte erste Erfahrungen machen. ____
2 Fabian arbeitet seit vier Jahren in der Automobilbranche. ____
3 Tina ist Ärztin von Beruf. ____
4 Ronny möchte eine Ausbildung machen. ____

A

AZUBI INDUSTRIEMECHANIKERV (m/w)
zum 1.9. gesucht!

Interessierst du dich für Technik? Dann komm zu uns. Wir sind ein kleines Unternehmen in der Automobilbranche und freuen uns auf deine Bewerbung.

Ansprechpartner: T. Becker,
E-Mail: becker@automo.netz, Telefon: 0123-123456

B

Angebot:

Praktikant (m/w) Informations- und Medientechnik im Flugzeug

Als Praktikant/-in helfen Sie bei der mechanischen und elektrischen Integration von Displays und Projektoren in ein Flugzeug. Sie entwickeln und testen neue Elektroniksysteme für die Flugzeugkabine. Sind Sie Student im technischen Bereich?
Praktikumsdauer: 6 Monate

C

Der Schultze-Konzern entwickelt seit 40 Jahren Lösungen für die Automobilindustrie. Aktuell suchen wir einen/eine

Ingenieur/-in

Ihre Aufgaben: Projektierung und Entwicklung von modernen Energiesystemen
Ihr Profil: Studium Elektrotechnik, gern mit Schwerpunkt Energietechnik, mindestens drei Jahre Berufserfahrung.

Senden Sie Ihre vollständigen Unterlagen bitte an den Schultze-Konzern.

D

Die Zukunft beginnt jetzt!

Für unser neues Unternehmen im Bereich Medizintechnik suchen wir
Mitarbeiter aus technischen und medizinischen Berufen.
Mehr Informationen unter www.medi-techno.info

3 Wortschatz und Grammatik

Read the letter. Which word goes in which gap? Mark a, b or c with a cross.

Kündigung der Bahncard Nr. 123456

Sehr _____ (1) Damen und Herren,

ich habe _____ (2) 2016 eine Bahncard 25. Leider fahre ich nur noch selten mit _____ (3) Zug. Deshalb brauche ich die Bahncard nicht mehr und möchte sie kündigen. Bitte schicken Sie _____ (4) per Post eine Bestätigung.

Bei Fragen _____ (5) Sie mich unter der Telefonnummer 0123-876543.

_____ (6) freundlichen Grüßen

M. Jones

1 a	☐ liebe	**b**	☐ gute	**c**	☐ geehrte
2 a	☐ seit	**b**	☐ bei	**c**	☐ bis
3 a	☐ dem	**b**	☐ der	**c**	☐ den
4 a	☐ mich	**b**	☐ mir	**c**	☐ für mir
5 a	☐ suchen	**b**	☐ erreichen	**c**	☐ anrufen
6 a	☐ Bei	**b**	☐ Von	**c**	☐ Mit

4 Schreiben

Write an e-mail to your business partner. Write 30 to 40 words. Make sure you write about all the points given.

Ein Geschäftspartner, Herr Krause, macht ein Grillfest und hat Sie eingeladen.

- Bedanken Sie sich und sagen Sie, dass Sie kommen.
- Fragen Sie, ob Sie jemanden mitbringen können.
- Fragen Sie nach dem Weg.

An Herr Krause

Von

____

____

____

____

____

____

____

Quellenverzeichnis

Coverfoto: © Getty Images/E+/lechatnoir
S. 3: © Getty Images/iStock/Wavebreakmedia
S. 6 von oben nach unten: © Getty Images/E+/LeoPatrizi, © fotolia/fotoping, © fotolia/contrastwerkstatt, © iStock/Getty Images Plus/oneinchpunch, © Getty Images/iStock/LuckyBusiness, © Getty Images/E+/ideabug
S. 7 von oben nach unten: © Getty Images/iStock/Ekaterina_Lin, © Getty Images/E+/Petar Chernaev, © Colourbox.de, © fotolia/mimagephotos, © iStock/Getty Images Plus/Banauke, © imago/imagebroker
S. 8 von oben nach unten: © Getty Images/iStock/Milenko Bokan, © fotolia/doris oberfrank-list, © fotolia/Robert Kneschke, © Getty Images/iStock/nd3000
S. 9: © Getty Images/E+/LeoPatrizi
S. 10 links: © Getty Images Plus/iStock/piart, rechts: © Getty Images/AFP/ARTHUR SASSE
S. 11 oben: © Thinkstock/iStock/g-stockstudio, unten: © Thinkstock/iStock/AlexRaths
S. 12: © Shutterstock.com/Syda Productions
S. 13 und S. 14: © fotolia/pio3
S. 15 Frau links: © Thinkstock/Hemera/Tal Revivo, Frau rechts: © fotolia/luismolinero, Hände A: © Thinkstock/iStock/triocean, B: © Thinkstock/iStock/123ducu, C bis F: © iStock/200mm
S. 16: © fotolia/contrastwerkstatt
S. 17 obere Reihe von links nach rechts: © Thinkstock/iStock/Lammeyer, © Thinkstock/Wavebreak Media, © iStock/MattoMatteo, © Thinkstock/iStock/Highwaystarz-Photography, untere Reihe von links nach rechts: © Thinkstock/iStock/Wavebreakmedia, © iStock/andresr, © Thinkstock/iStock/g-stockstudio, © Thinkstock/iStock/simo988
S. 20 von links nach rechts: © iStock/TommL, © iStock/IS_ImageSource, © Colourbox.de
S. 21: © fotolia/fotoping
S. 22 A–F: © Getty Images/iStock/sergio_kumer, © Getty Images/iStock/sunemotion, © Getty Images/iStock/microgen, © Getty Images/iStock/anek_s, © Getty Images/iStock/peshkov, © Getty Images/iStock/Gajus, Mann: © iStock/marinovicphotography
S. 23: © Getty Images/Hulton Archive
S. 25: © Getty Images/iStock/monkeybusinessimages
S. 26 Post: © fotolia/Claudio Divizia, Friseur: © fotolia/romankosolapov
S. 27: © fotolia/pp77
S. 28: © Getty Images/Banana Stock/Getty Images Plus
S. 29: © Getty Images/iStock/LDProd
S. 32 von links nach rechts: © Getty Images/iStock/Wavebreakmedia, © picture alliance/ZB/Thomas Eisenhuth, © Getty Images/Pixland/Jupiterimages, © Getty Images/iStock/Minerva Studio
S. 33: © fotolia/contrastwerkstatt
S. 34 oben: © PantherMedia/Voyagerix, A–M: © Getty Images/Hemera/Zeljko Bozic, © fotolia/Diedie55, © fotolia/Mara Zemgaliete, © fotolia/mates, © fotolia/akf, © Getty Images/iStock/ajafoto, © Getty Images/iStock/Dukell, © fotolia/Richard Oechsner, © fotolia/emuck, © iStock/milanfoto, © fotolia/Wolfgang Mücke, © fotolia/womue
S. 35: © Getty Images/E+/Jacob Wackerhausen
S. 36 Saft: © fotolia/womue, Wasser: © Getty Images/iStock/Savany
S. 37 Kennedy: © action press/Prensa Internacional/Zuma Pres, A: © Thinkstock/iStockphoto/nevodka, B: © fotolia/by-studio, C–E: © fotolia/rdnzl
S. 38 von oben nach unten: © Thinkstock/Ron Chapple Studios, © iStock/azndc, © PantherMedia/Radka Linkova, © fotolia/goodluz
S. 39 oben: © fotolia/Melica, unten: © irisblende.de
S. 40 von oben nach unten: © Thinkstock/Wavebreak Media Ltd, © fotolia/rdnzl, © fotolia/aliator, © Getty Images/iStock/Roman Samokhin
S. 41: © fotolia/JackF
S. 44: © Getty Images/iStock/SerAlexVi
S. 45: © iStock/Getty Images Plus/oneinchpunch
S. 46: © Thinkstock/Stockbyte/John Foxx
S. 47 von oben nach unten: © Getty Images/iStock/wmiami, © Getty Images/iStock/FlairImages, © PantherMedia/dnf-style, © Getty Images/iStock/Vitalalp, © Getty Images/Hemera/Yuri Arcurs
S. 48 links: © Getty Images/iStock/sborisov, rechts: © Thinkstock/iStockphoto
S. 49: © PantherMedia/geniuslady
S. 50 1–6: © Thinkstock/iStock/Tarzhanova, © fotolia/Andrey_Lobachev, © Thinkstock/iStock/yongkiet, © Thinkstock/EVAfotografie, © Thinkstock/iStock/aimy27feb, © fotolia/master24
S. 51 links: © Thinkstock/reka, rechts: © PantherMedia/bernjuer

S. 52: Avatar: © Thinkstock/iStock/simo988, Obst: © fotolia/kovaleva_ka
S. 53 Reihe oben von links nach rechts: © fotolia/Alvaro, © fotolia/industrieblick, © Getty Images/E+/YinYang, © Thinkstock/Stockbyte, unten: © fotolia/biker3
S. 56: Hund: © fotolia/Grigory Bruev, Katze: © Getty Images/marzena_cytacka
S. 58: © fotolia/Dan Race
S. 60: © fotolia/VadimGuzhva
S. 61: © Getty Images/iStock/LuckyBusiness
S. 62 A–H: © Getty Images/iStock/vchal, © PantherMedia/Tyler Olson, © Getty Images/iStock/djedzura, © Getty Images/iStock/Davizro, © Getty Images/iStock/AlexRaths, © Getty Images/iStock/ViktorCap, © Getty Images/iStock/Poike, © Thinkstock/iStock/dolgachov
S. 63: © Thinkstock/moodboard/Mike Watson Images
S. 64: © Getty Images/Wavebreak Media Ltd
S. 65: © mauritius images/Westend61/Ramon Espelt
S. 67: © fotolia/artalis
S. 68: © Getty Images/Wavebreak Media Ltd
S. 69: © Getty Images/2015 FIFA/Lars Baron
S. 72: © fotolia/CandyBox Images
S. 73: © Getty Images/E+/ideabug
S. 74: © Thinkstock/iStock/AntonioGuillem
S. 75: © Getty Images/Blend Images/Granger Wootz
S. 76 A–F: © Thinkstock/Purestock, © Hueber Verlag/Florian Bachmeier, Schliersee, © iStockphoto/Jacob Wackerhausen, © iStock/absolut_100, © Getty Images/iStock/DGLimages, © PantherMedia/Paul Simcock
S. 77: © Getty Images/iStock/gpointstudio
S. 78: © fotolia/pressmaster
S. 81: © fotolia/Jeanette Dietl
S. 84 von links nach rechts: © Voller Ernst/FOTOFINDER.COM, © fotolia/Andrey Nekrasov, © Getty Images/iStock/Halfpoint
S. 85: © Getty Images/iStock/Ekaterina_Lin
S. 86 oben: © fotolia/Dirk Vonten, unten: © Getty Images/Zoonar RF
S. 87 A–C oben: © Thinkstock/Digital Vision/Mike Powell, © PantherMedia/Yuri Arcurs, © iStock/monkeybusinessimages, A-B unten: © Getty Images/iStock/kpalimski, © Getty Images/iStock/kpalimski
S. 88: © Getty Images/iStock/Opka
S. 89 oben von links nach rechts: © PantherMedia/panthertubi, © fotolia/JFL Photography, © Getty Images/iStock/igmarx, © Getty Images/TasfotoNL, Udo Lindenberg: © Franco Gulotta/facetoface
S. 91 1–14: © Thinkstock/iStock/photobac, © fotolia/Dmitry Vereshchagin, © iStock/gridcaha, © iStock/Kais Tolmats, © Thinkstock/iStock/tiler84, © Thinkstock/iStock/WesAbrams, © Thinkstock/Hemera/Simon Krzic, © Getty Images/PhotoObjects.net/Hemera Technologies, © Thinkstock/Zoonar RF, © iStock/tumpikuja, © iStock/EdnaM, © Thinkstock/iStock/aopsan, © Thinkstock/Stockbyte, © fotolia/srki66
S. 92 A: © Das Wohnzimmer im Münter-Haus, Essecke mit Hinterglasbildern von Kandinsky. Foto: Simone Gänsheimer, Ernst Jank, Städtische Galerie im Lenbachhaus und Kunstbau München © Gabriele Münter- und Johannes Eichner-Stiftung, München, B: © Internationale Stiftung Mozarteum (ISM); Mozart: © Thinkstock/Getty Images, Münter: © ARTOTHEK
S. 93: © PantherMedia/Ujac
S. 94: Flugzeug: © fotolia/industrieblick, 1-4: © fotolia/Kzenon, © fotolia/contrastwerkstatt, © Thinkstock/iStock/Zoran Zeremski, © Getty Images/E+/SolStock
S. 96 links: © fotolia/KB3, rechts: © fotolia/Zerbor
S. 97: © Getty Images/E+/Petar Chernaev
S. 98: Niels: © fotolia/goodluz, Anna: © fotolia/Stefan Körber, Mia und Lukas: © Getty Images/iStock/g-stockstudio, Sarah: © PantherMedia/Radka Linkova
S. 100 A–F: © Thinkstock/Monkey Busines Images, © Thinkstock/iStock/diego cervo, © Getty Images/kzenon, © Getty Images/KatarzynaBialasiewicz, © fotolia/anetlanda, © Thinkstock/Stockbyte/Jupiterimages
S. 102: © imago/Christian Ohde
S. 103 A–F: © Getty Images/iStock/dolgachov, © gettyimages/Hemera/Aleksandr Frolov, © fotolia/shock, © fotolia/DWP, © Thinkstock/Getty Images/Oli Scarff, © iStock/alicat
S. 104: © fotolia/goodluz
S. 105: © Getty Images/iStock/BartekSzewczyk

S. 108: links: © Getty Images/Hero Images, rechts: © fotolia/klublu
S. 111: © Thinkstock/iStock/Ralf Gosch
S. 115: © Colourbox.de
S. 116 A–H: © Getty Images/iStock/SerAlexVi, © Thinkstock/Zoonar, © fotolia/Zerbor, © Thinkstock/Hemera, © Colourbox.de, © Getty Images/iStock/gbh007, © Getty Images/iStock/margouillatphotos, © Getty Images/iStock/Hyrma
S. 117: © Thinkstock/Wavebreak Media Ltd
S. 118 von oben nach unten: © fotolia/tashka2000, © fotolia/akf, © Thinkstock/iStock/Dejan Ristovski
S. 119 A–C: © iStockphoto/MarkSwallow, D: © fotolia/Stocksnapper, E: © fotolia/Angel Simon, F: © fotolia/Viktor
S. 120: © Getty Images/iStock/mpalis
S. 122: © Thinkstock/Ingram Publishing
S. 123: © Getty Images/iStock/Wavebreakmedia
S. 126 von links nach rechts: © imago/Sabine Gudath, © fotolia/contrastwerkstatt, © fotolia/Dron, © Thinkstock/iStock/veronicagomepola
S. 127: © fotolia/mimagephotos
S. 128 A-F: © fotolia/mahony, © Getty Images/iStock/vinicef, © Alamy Stock Foto/ONOKY-Photononstop, © fotolia/emaria, © Getty Images/E+svetikd, © fotolia/carballo
S. 129: © fotolia/WavebreakmediaMicro
S. 131 A–C: © iStock/ollo, © fotolia/Alexander Zamaraev, © Getty Images/iStock/al_la
S. 132: © fotolia/kasto
S. 133: © Alamy Stock Photo/Hi-Story
S. 134: © Deutsche Bahn AG/Oliver Lauer
S. 135 A–F: © Getty Images/iStock/monticelllo, © Bundesministerium des Innern, © Bundesdruckerei, © Thinkstock/iStock/Michael Fair, © fotolia7sumire8, © Thinkstock/iStock/Olaf Bender, unten: © PantherMedia/nd3000
S. 138 oben: © fotolia/powell83, Schild oben © Thinkstock/iStock/zager, © Schild unten: Thinkstock/iStock/jojoo64
S. 139: © iStock/Getty Images Plus/Banauke
S. 140: Reihe oben von links nach rechts: © Getty Images/iStock/mije_shots, © Getty Images/iStock/bluejayphoto, © Getty Images/iStock/tupungato, © Getty Images/E+/gehringj, Reihe Mitte von links nach rechts: © Getty Images/iStock/mb-fotos, © fotolia/pure-life-pictures, © iStockphoto/ewg3D, © Getty Images/iStock/Foottoo, Reihe unten von links nach rechts: © Getty Images/Digital Vision, © Getty Images/iStock/m-imagephotography, © Getty Images/iStock/guruXOOX
S. 141: © fotolia/Firework Pixels
S. 143 A–H: © Getty Images/iStock/forrest9, © Getty Images/iStock/BrianAJackson, © Getty Images/iStock/Redline96, © iStock/Viorika, © fotolia/kwasny221, © fotolia/Dmitri Brodski, © fotolia/Leonid Ikan, © Getty Images/iStock/Nastco
S. 144 links: © fotolia/JFL Photography, rechts: © bpk/Staatliche Kunstsammlungen Dresden/David Brandt
S. 145: © fotolia/Leonid Andronov
S. 146: © fotolia/tilialucida
S. 150: A–D: © iStockphoto/querbeet, © iStock/AM-C, © fotolia/JFL Photography, © Getty Images/iStock/Borisb17
S. 151: © imago/imagebroker
S. 152: © fotolia/goir
S. 153: © fotolia/modelsky22
S. 154: © fotolia/contrastwerkstatt
S. 155: © Getty Images/iStock/Wavebreakmedia
S. 156 A–F: © fotolia/gna60, © Getty Images/iStock/ziquiu, © Getty Images/iStockl/PeJo29, © Getty Images/iStock/krungchingpixs, © iStock/Alexey Buhantsov, © Thinkstock/Stockbyte
S. 158: © fotolia/Robert Kneschke
S. 159: © fotolia/Alexander Raths
S. 162: von links nach rechts: © Getty Images/iStock/manifeesto, © Getty Images/iStock/monkeybusinessimages, © Getty Images/iStock/Nomadsoul1
S. 164: © PantherMedia/carl
S. 167: © Getty Images/iStock/Milenko Bokan
S. 168 links: © Thinkstock/Ingram Publishing, rechts: © Thinkstock/iStock/XiXinXing
S. 169: © fotolia/Halfpoint
S. 170: © Getty Images/iStock/AnikaSalsera

S. 172 1–6: © Thinkstock/iStock/MaleWitch, © fotolia/wimage72, © fotolia/vitalily_73, © fotolia/Tarzhanova, © Getty Images/iStock/Paolo_Toffanin, © fotolia/Alexandra Karamyshev, © Getty Images/iStock/the-lightwriter, © iStock/gofotograf, © Thinkstock/iStock/Anne-Louise Quarfoth, © fotolia/photographyfirm, © fotolia/viperagp, © fotolia/adisa
S. 173: © Getty Images/iStock/wernerimages
S. 174: © Thinkstock/iStock/EdnaM
S. 175 A–C: © iStock/Joas, © Thinkstock/iStock/Antonio_Diaz, © Thinkstock/Hemera/Zsolt Nyulaszi
S. 178 von links nach rechts: © Getty Images/E+/ivo Gretener, © PantherMedia/PetroP, © fotolia/Eisenhans
S. 179: © fotolia/doris oberfrank-list
S. 180 Reihen oben A–H: © iStockphoto/ValentynVolkov, © Getty Images/iStock/BigJoker, © Getty Images/iStock/StockPhotosArt, © Getty Images/iStock/lleerogers, © Thinkstock/iStock/yvdavyd, © Thinkstock/iStock/9comeback, © Getty Images/iStock/MileA, © Thinkstock/iStock/MidoSemsem, Reihe unten A–E: © Getty Images/E+/ultramarinfoto, © Getty Images/iStock/AndreyPopov, © Getty Images/Pixland, © fotolia/wildworx, © iStock/Di_Studio
S. 182: © Getty Images/iStock/jacoblund
S. 183 A–C: © Getty Images/iStock/wernerimages, © Getty Images/iStock/diego cervo, © Thinkstock/Blend Images/Ariel Skelley
S. 184 von links nach rechts: © PantherMedia/Gelpi, © Getty Images/iStock/Ridofranz, © Thinkstock/iStock/warrengoldswain
S. 186 1–5: © Getty Images/iStock/Nivellen77, © Thinkstock/iStock/Dan Breckwoldt, © Getty Images/iStock/Tupungato, © Getty Images/Hemera/Pavel Losevsky, © Thinkstock/iStock/eurotravel
S. 187 von links nach rechts: © Getty Images/iStock/Shelton Muller, © Getty Images/iStock/yinGw, © fotolia/melnikofd
S. 190 von links nach rechts: © Getty Images/iStock/gemenacom, © mauritius images/Westend61/Mareen Fischinger, © Getty Images/iStock/Wavebreakmedia
S. 191: © fotolia/Robert Kneschke
S. 192 links: © Thinkstock/iStock/simo988, rechts: © Getty Images/iStock/EHStock
S. 193: © Thinkstock/iStock/gpointstudio
S. 195 1–4: © Getty Images/iStock/EHStock, © Thinkstock/Hemera, © Thinkstock/AbleStock.com/Hemera Technologies, © iStock/Alen-D
S. 196: © Getty Images/iStock/EHStock
S. 198: © Getty Images/Hemera/Simone Van den berg
S. 199: © Thinkstock/iStock/BartekSzewczyk
S. 202 links: © Getty Images/iStock/Giorgio Magini, rechts: © Getty Images/iStock/Marjan_Apostolovic
S. 203: © Getty Images/iStock/nd3000
S. 204 A–E: © Alamy Stock Photo/CHRISTOPHER CURRY, © Getty Images/iStock/jwblinn, © Getty Images/iStock/DanielPrudek, © Getty Images/liquidlibrary/Jupiterimages, © Getty Images/JPC-PROD, A–C: © Thinkstock/Stockbyte, © Thinkstock/iStock/Sportstock, © fotolia/fotosmile777
S. 205 D: © fotolia/Eugenio Marongiu, E: © iStock/PeopleImages
S. 206: © iStock/PeopleImages
S. 208: © iStock/Vyacheslav Shramko
S. 211: © fotolia/SZ-Designs
S. 214 von links nach rechts: © Getty Images/monkeybusinessimages, © Getty Images/iStock/Ridofranz, © Getty Images/Photodisc/Digital Vision, unten: © Getty Images/YakobchukOlena
S. 218: © fotolia/MAK
S. 219 A–F: © Getty Images/iStock/michaelquirk, © Getty Images/iStock/AbbieImages, © Getty Images/iStock/stuartbur, © fotolia/grafikplusfoto, © fotolia/Luminis, © fotolia/AlenKadr

Bildredaktion: Cornelia Hellenschmidt, Hueber Verlag, München

Inhalt der MP3-Dateien:

Sprecher: Karim El Kammouchi, Nils Dienemann, Patrick Roche, Jacqueline Belle, Kathi Gaube, Leslie-Vanessa Lill
Produktion: Tonstudio Langer, 85375 Neufahrn, Deutschland